여러분을 미드저니 세상으로 초대합니다.

/imagine street view, captured by anamorphic lens --ar 3:2

초판 발행 2023년 7월 17일
지은이 안창현
펴낸이 안창현 **펴낸곳** 코드미디어
북 디자인 Micky Ahn **교정 교열** 민혜정
등록 2001년 3월 7일 **등록번호** 제 25100-2001-5호
주소 서울시 은평구 갈현로 318-1 1층 **전화** 02-6326-1402 **팩스** 02-388-1302
전자우편 codmedia@codmedia.com

ISBN 979-11-89690-93-9 13590

정가 17,900원

20023년 혜성같이 떠오른 AI 기술

Chat-GPT를 이용한 텍스트 생성과

AI 아트 미드저니를 이용한 이미지 생성 기술이

앞으로 우리들의 생활에 밀접하게 다가올 것입니다.

너무 갑작스럽게 다가온 환경이라

많은 분들이 알기는 해야 하는데 어떻게 해야 할지 모르는

분들을 위해 이 도서를 준비했습니다.

특히 AI 아트는 Chat-GPT 보다 정보가 적어

상업에 적용할 만큼 퀄리티 있는 이미지를 만들기에

더 어려움이 많습니다.

여러분이 AI 아트 미드저니에 푹 빠질 수 있도록

도움이 되고자 이 콘텐츠를 기획했습니다.

새로운 기술이다 보니 다른 콘텐츠보다 더 많은 준비가 필요했습니다.

우리들의 노력을 이 도서에 고스란히 담았습니다.

조금이나마 독자분들이 쉽게 배울 수 있도록

수많은 예제와 프롬프트 샘플을 제공하였고

보시는데 정말 편하게 보실 수 있도록

시각적 편집에도 공을 들였습니다.

모쪼록 이 도서를 통해 많은 도움이 되시기를 기원합니다.

2023년 7월

안창현

차 례

/imagine a woman in a car dress, head spot lighting --ar 16:9

step 1 프롬프트 기초

step 2 프롬프트 파라미터

/imagine Children using artificial intelligence

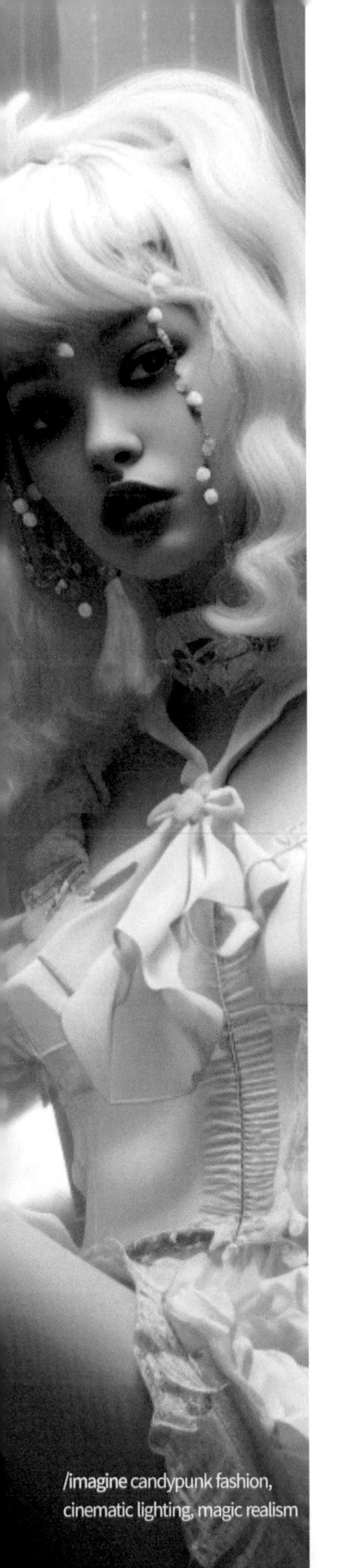

step 3 프롬프트 고급

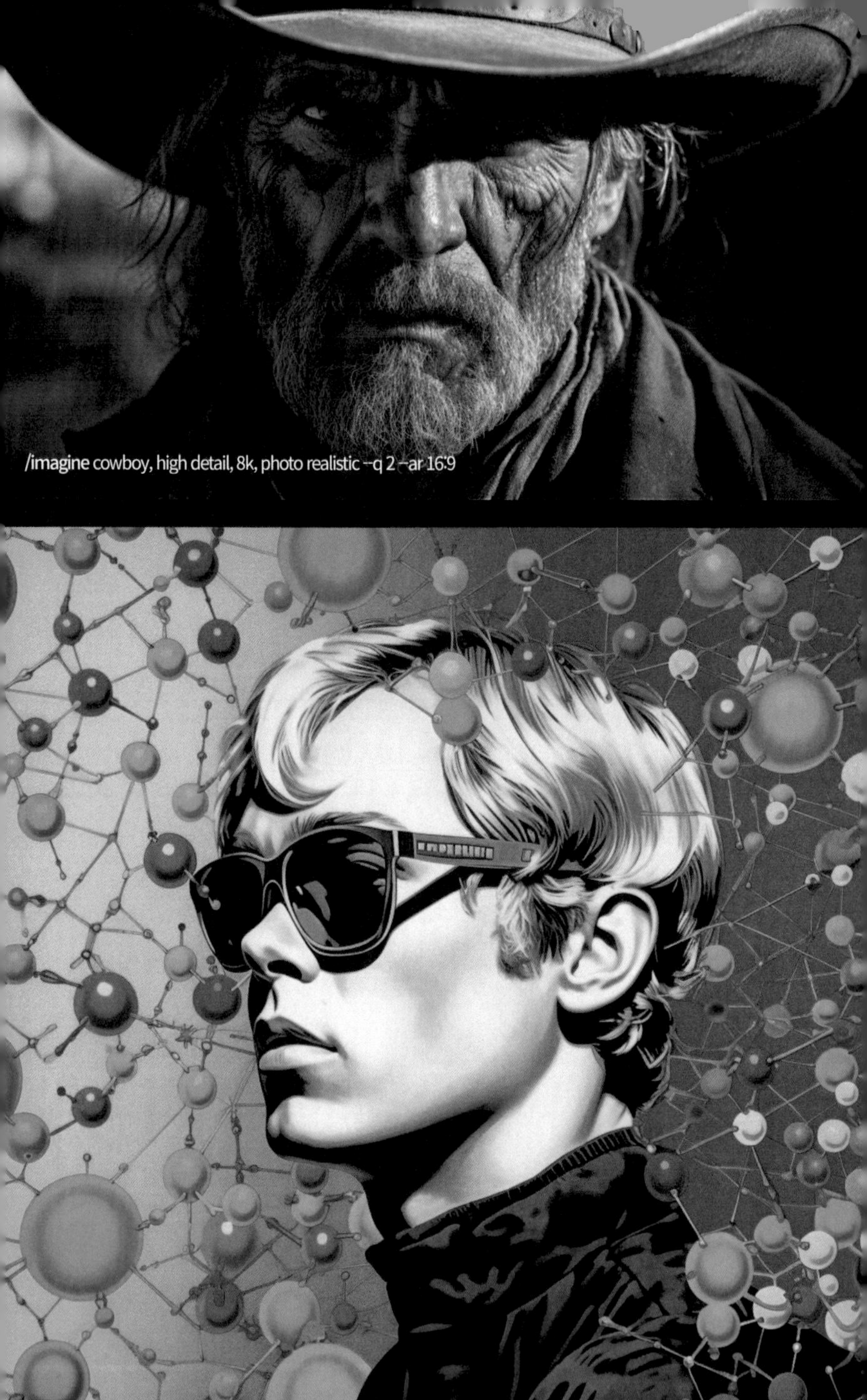
/imagine cowboy, high detail, 8k, photo realistic --q 2 --ar 16:9
/imagine molecular, Andy Warhol

step 1

프롬프트 기초

1

인공지능의 시작

인공지능은 AIAI artificial intelligence 를 말합니다. 사전적인 뜻으로 인간의 인지, 추론, 판단 등의 능력을 컴퓨터로 구현하기 위한 기술 혹은 그 연구 분야 등을 총칭하는 용어(두산백과)를 말합니다.

인공지능이라는 단어와 함께 OpenAI 라는 명칭도 한 번쯤 들어 보셨을 거예요. OpenAI는 인공지능을 연구하는 비영리 연구소로 최근에 이슈된 Chat-GPT나 DAll-E를 개발한 곳으로도 유명합니다. 그만큼 인공지능을 이야기할 때 빼놓을 수 없는 이름이죠. 인공지능에 대해서 알아보기 전에 OpenAI는 어떤 단체인지 살펴보겠습니다.

OpenAI는 인류에게 이익이 되는 안전하고 유익한 인공지능을 만드는 것을 사명으로 2015년에 일론 머스크OpenAI 공동설립자, 2018년 사임, 샘 앨트먼OpenAI CEO, 그렉 브록맨OpenAI CTO, 일리야 서츠케버OpenAI COO, 존 슐먼OpenAI 공동설립자 등을 포함한 기술계 명사들에 의해 공동 설립되었습니다.

연구 내용으로는 자연어 처리, 컴퓨터 비전, 강화 학습, 로봇 공학 등을 포함한 인공지능 내의 광범위한 주제를 다루는데 이 단체는 매우 일관성 있고 유창한 언어를 생성할 수 있는 GPT 언어 모델 시리즈를 개발한 것으로 가장 잘 알려져 있습니다.

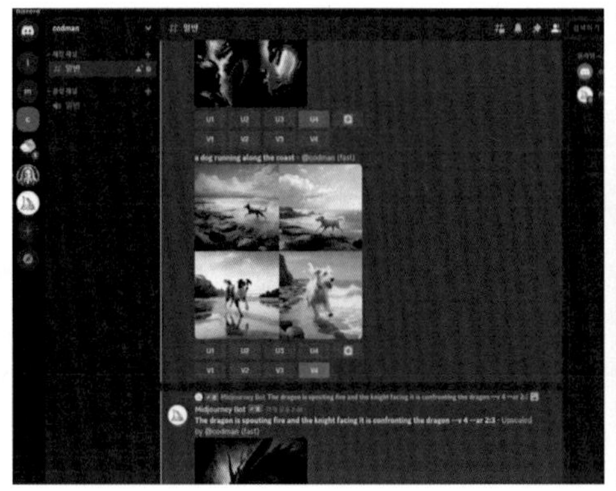
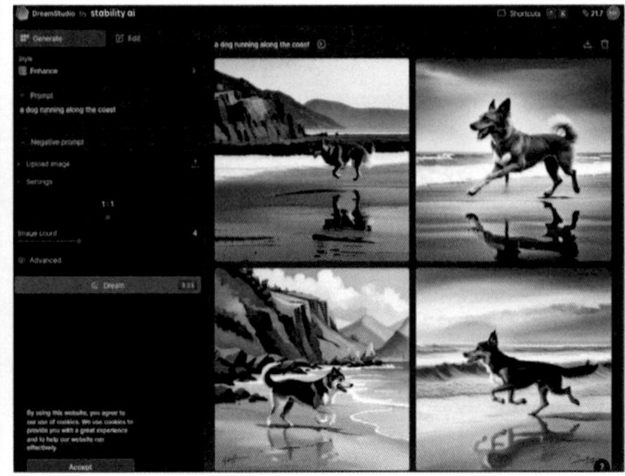

미드저니 (https://www.midjourney.com), 스테이빌.ai (https://platform.stability.ai)

공개된 인공지능에는 글을 생성하는 GPT 언어 모델, 알파고와 같은 인공지능 기술인 OpenAI, GPT를 기반으로한 인공 지능 프로그램 모델인 Codex, 그림을 그리는 인공지인 기술인 DAll-E, GPT 3.5를 기반으로 하는 대화형 인공지능 서비스인 Chat-GPT 등이 있습니다.

이와같이 OpenAI에서 부터 시작된 인공지능이 지금은 수많은 AI 서비스들을 만드는 계기가 되었습니다. 텍스트 기반 AI에는 챗GPT 이외에 마이크로소프트사의 빙, 구글의 바드, 한국형 AI 뤼튼, 노션 AI 등이 서비스되고 있고 네이버 등 대형 업체에서도 텍스트 기반 AI를 준비하는 등 인공지능이 없는 서비스는 앞으로 찾아 보기 힘들 정도로 일반화되고 있습니다. 현재까지는 챗GPT가 가장 우수한 성능을 보이고 있지만 마이크로소프트, 구글, 국내 서비스인 뤼튼 등의 업체도 인공지능 기술이 대단하여 앞으로 어떠한 변화가 생길지 아무도 알 수 없어 보입니다.

챗GPT의 대화형 인공지능 뿐만 아니라 텍스트로 이미지를 생성하는 아트 AI 또한 열기가 대단한데 기술력 차이가 확연하게 구분되어 텍스트 기반 AI보다는 경쟁이 치열하지는 않는 추세입니다. DAll-E부터 시작된 아트 AI는 미드저니, 스테이블 디퓨전으로 추려지고 있는 상황입니다. 스페이블 디퓨전Stable Diffusion은 오픈소스 기반으로 누구나 무료로 프로그램을 다운로드 받아서 사용이 가능하고 모델링 데이터도 추가해서 다양한 종류의 이미지를 생성할 수 있도록 구성되어 있습니다. 프롬프트 입력은 지시할 명령과 빼고 싶은 명령을 두 가지로 입력하는 등 프롬프트 명령에 많이 의지되는 편입니다.

반면 미드저니Midjouney는 디스코드라는 채팅앱에서 동작하기 때문에 웹에 접속만 하면 사용이 가능하며 간단하게 명령만 내리면 고퀄리티의 이미지를 만들 수 있다는 장점을 가지고 있습니다. 간단한 단어만 입력해도 미드저니는 알아서 멋진 이미지를 만들어주기 때문에 초보자들도 사용하기 편리하다는 장점을 가지고 있습니다.

이외에 블루윌로우, 레오나르도 AI, 플레이그라운드 AI 등이 있지만 아직은 미드저니와 스테이블 디퓨전의 수준에는 못 미치고 있습니다.

아트 AI는 대형 업체의 움직임도 보이고 있는데 대표적인 AI로 마이크로소프트사의 디자이너와 어도비의 파이어플라이가 있습니다. 디자이너는 프롬프트를 입력하면 이미지만 생성해주는 여타 AI와 달리 생산성에 맞추어 이미지만 제작해주는 것이 아니라 포스터, 카드 뉴스, 섬네일 등의 템플릿을 만들어 줍니다.

어도비의 파이어플라이는 이미지, 텍스트 효과, 벡터로 종류를 나눌 수 있으며 프롬프트를 입력해서 다양한 종류의 이미지를 생산해 줍니다. 특히 백터 데이터를 생산해주는 것이 특징입니다. 두 AI 모두 저작권 침해를 최소화하였으며, 화려한 그래픽 포퍼먼스보다는 생산성을 높이는 데 초점을 두었습니다. 그리고 미래의 아트 AI의 방향을 제시하고 있는 것으로 보입니다. 디자이너는 [디자이너] 홈페이지(https://designer.microsoft.com), 파이어플라이는 [파이어플라이] 홈페이지(https://firefly.adobe.com)에서 베타 서비스를 운영하고 있습니다.

2022년말부터 등장한 매우 진보한 인공지능은 2023년 세계를 발칵 뒤집어 놓은 새로운 기술로 떠오르고 있습니다. 이 콘텐츠의 표지의 인물인 스티브 잡스 처럼 그가 가지고 나온 아이폰과 아이패드의 충격을 다시 한 번 느끼는 듯 합니다. 인공지능의 등장은 생활의 편리함을 제공할 뿐만 아니라 인력을 대체되는 문제로 인해 구조 조정이 생기게 할 뿐만 아니라 프롬프트 엔지니어링과 같은 새로운 직업이 생기기도 하는 등 사회적으로 많은 변화를 일으키기도 하고 있습니다.

이러한 변화에 발맞추어 인공지능의 기술을 빨리 체득하여 인공지능을 백분 활용하여 시대의 흐름에 발맞춰가는 것이 무엇보다 중요합니다.

2

이미지 인공지능, 미드저니

미드저니는 OpenAI와는 직접적인 관계는 별개의 단체입니다. 디스코드라는 음성, 비디오, 텍스트를 통해 친구들과 소통할 수 있는 온라인 플랫폼에 텍스트나 이미지를 입력하면 걸맞는 이미지를 만들어주는 대표적인 서비스입니다. 이미지 인공지능인 OpenAI의 DAll-E와 기능은 비슷하나 엄연히 다른 서비스입니다. DAll-E가 왜곡된 이미지를 잘 만들어 준다면 미드저니는 좀 더 초현실적인 이미지를 잘 표현해주기로 유명합니다.

David Holz

미드저니는 Leap Motion을 공동 설립한 David Holz가 이끌고 있으며, 새로운 사고의 매체를 탐구하고 인간의 상상력을 확장하는 것을 목표로 하는 독립적인 연구소에서 개발하고 있습니다. 미드저니는 2021년 12월에 오픈 베타 버전으로 공개되었으며, 디스코드 서버를 통해 사용자들에게 인공지능 이미지 생성 서비스를 제공하고 있습니다.

이렇게 미드저니가 이미지 인공지능으로 유명하게 된 몇 가지 사건들이 있습니다. 가장 큰 이슈는 2022년 미국의 미술 대회에서 제이슨 앨런이 미드저니로 그린 'Théâtre D'opéra Spatial(스페이스 오페라 극장)'가 디지털 아트 부문에 1등을 차지한 사건이 있습니다. 예술적인 영역은 감히 AI가 흉내를 낼 수 없다고 자신했던 영역

에서 일어난 사건이라 인공지능의 능력에 내심 놀랄 수밖에 없었습니다.

두 번째는 영국 잡지 『이코노미스트』의 2022년 6월호의 표지에 미드저니가 만든 이미지가 사용되었다는 점입니다. 저명한 잡지에 AI 이미지가 실렸다는 것은 매우 이례적인 일이라서 큰 이슈가 되었습니다. 관계자의 말에 의하면 생명공학이라는 주제와 어울려서 사용했다고 합니다. 이미지의 제목은 "새로운 꽃의 힘"으로 이미지는 다른 모양과 색깔의 꽃들의 콜라주이며, 그들 중 일부는 동물이나 사물을 닮았으며 그 꽃들은 잡지의 로고 주위에 원형의 패턴으로 배열되어 있습니다.

AI 이미지가 표지에 처음 실린 것은 2021년 12월호 코스모폴리탄 잡지 표지로 DALL-E 2 OpenAI가 그린 이미지입니다. 이때는 "무한

2022년 6월 영국 이코노미스트 표지

2021년 12월 코스모폴리탄 표지

한 우주, 신스웨이브, 디지털 아트에서 화성의 카메라쪽으로 걸어가는 운동 여성의 몸을 가진 여성 우주 비행사의 아래에서 광각 촬영"이라는 프롬프트를 제시해서 제작했다고 합니다.

이러한 AI 기술은 수많은 데이터를 필요로 합니다. 미드저니와 같은 이미지 기술인 경우에는 이미지 자료가 필요한데 이러한 이미지 자료들은 어떻게 구했을까요? 이러한 질문에 대해서 누구도 속시원하게 답변하고 있지 않지만 이미지 결과물을 봤을 때 특정 인물의 그림을 인용했다는 사실을 부인하기 어려워 보입니다. 이러한 점 때문에 작가들이 모여 창작자 동의 없이 이미지를 수집·인용했다고 주장하며 미드저니를 상대로 집단 소송을 걸고 있습니다.

이렇듯 근간에 혜성처럼 등장한 AI 기술은 혁명을 주도하고 있으며 새로운 AI 시대에 대한 기대와 두려움이 공존하는 새로운 세상의 시작을 알리고 있습니다.

3

이미지 인공지능,
저작권 논란

인공지능이 관심을 받음과 동시에 인공지능에 의한 저작권에 대해서도 이슈가 되고 있습니다. 저작권이 이슈가 되는 이유는 인공지능이 인터넷 등의 데이터를 학습해서 운영되기 때문입니다. 어! 이 이미지는 어디서 많이 본거 같은데? 라는 생각을 드는 이미지가 생성되기도 하기 때문입니다. 확실히 동일하지는 않지만 유사하다는 이야기가 돌면서 작가의 이미지를 도용한거는 아니냐는 추측과 함께 특정 단체는 인공지능 업체에 의견을 제의하기도 하고 있습니다. 똑같이 카피한 것은 아니기 때문에 미국의 법원에서는 인공지능 업체에 손을 들어 주었지만 많은 단체에서는 아직도 인공지능이 만든 콘텐츠를 인정하지 않고 있는 추세에 더불어 여러가지 소송이 진행 중이며 지금까지도 공방이 이어지고 있습니다.

이러한 문제를 해결하기 위하여 어도비의 아트 AI인 파이어플라이나 마이크로소프트사의 디자이너나 유명 이미지 스톡 업체인 게티이미지에서는 자사에서 보유한 이미지만을 이용해 보다 클린한 데이터를 이용한 아트 AI를 선보일 예정이라고 합니다. 조금씩 인공지능으로 발생하는 문제들을 정화하는 노력이 이어지고 있으며 조만간 이러한 문제를 정리할 수 있는 법규가 생겨날 것이라고 생각합니다.

그럼 이러한 인공지능으로 인해 발생하는 저작권 문제를 어떻게 해결하면 좋을지 알아보겠습니다.

첫번째, 인공지능으로 만든 저작물은 정확하게 인공지능으로 만든 이미지라고 출처를 반드시 밝히도록 합니다. 최근에 모 디자이너가 인공지능으로 만든 저작물을 직접 만든 거라고 거짓말해서 법적인 문제보다도 도덕적인 문제 때문에 질타를 받은 적이 있습니다. 그러므로 반드시 인공지능으로 만든 저작물이라고 밝히도록 합니다.

두 번째, 인공지능으로 만든 저작물을 상업용으로 이용할 경우 해당 기관의 규칙을 따르도록 합니다. 예를 들어 이미지를 판매할 수 있는 어도비 스톡은 인공지능의 저작물은 인정해주고 있지만 특정 인물, 특정 장소, 특정 작가의 화풍이 적용된 이미지는 금지한다고 공지하고 있습니다. 이러한 공지 내용을 반드시 따라야 합니다. 인공지능 저작물을 아예 받아주지 않는 곳에서는 사용하지 않도록 합니다.

다시 정리하면 미드저니를 자유롭게 사용하되 인공지능으로 만든 저작물임을 밝히고 이미지를 상업용으로 이용할 때는 해당 기관의 규칙을 따르도록 합니다. 지금도 일반인뿐만 아니라 전문가들 역시 미드저니를 백분 활용하여 사용하고 있으므로 지켜야 할 사항만 잘 지키면 사용하는 데 걱정할 필요는 없습니다.

인공지능의 저작권 문제는 이미지 AI 뿐만 아니라 텍스트 생성 AI인 챗GPT까지 겪고 있는 문제입니다. 제가 지켜본 바로는 앞으로 특정 규칙을 지정하고 이 규칙이 허락하는 범위에서 인공지능의 저작권은 인정하는 분위기로 흘러가리라 생각합니다.

4

왜 미드저니인가?

AI 아트의 인기와 더불어 AI 아트를 제공하는 서비스가 우후죽순으로 생기고 있는 추세입니다. OpenAI의 DALL-E에서부터 시작된 AI 아트는 미드저니에 와서 정점을 찍고 있는 추세입니다. 그 이유는 다른 업체와는 차별되는 퀄리티와 완성도 때문입니다. 오픈 소스 프로그램을 설치해서 사용하는 스테이블 디퓨전도 높은 퀄리티를 제공하기는 하지만 오픈 소스로서의 특성상 자유도는 있어도 그만큼 안정성과 저작권의 문제에서 자유롭지 않습니다. 기타 다른 업체는 아직 상업적으로 이용하기에 부족함이 많은 편입니다.

미드저니는 업체에서 활발하게 관리 중이며 수시로 업데이트가 되기 때문에 향상된 성능으로 수준 높은 콘텐츠를 이용할 수 있습니다. 채팅 앱인 디스코드에서 동작하다 보니 커뮤니티가 활성화되어 있어서 회원들과 소통하거나 정보를 주고 받기가 용이합니다.

그 다음으로는 모든 디바이스에서 사용이 가능하다는 장점이 있습니다. 디스코드라는 채팅 프로그램에서 동작하기 때문에 디스코드 앱을 통해 PC 및 맥 PC, 애플, 안드로이드 스마트폰 등 다양한 디바이스에 설치해서 사용할 수 있습니다.

또한 프롬프트 명령을 내리기가 쉽습니다. 제작하고 싶은 이미지를 만들기 위해 입력하는 프롬프트 명령이 어렵지 않습니다. 자연어로 입력해도 되지만 미드저니는 단어만 입력해도 이미지를 생성할 수 있습니다. 단순한 오타도 알아서 정정해서 반영해 줍니다. 이렇듯 미드저니의 이러한 장점들 덕분에 많은 사용자가 이용하고 있는 AI 아트 서비스로 성장할 수 있었습니다.

이제 단점에 대해서 알아보겠습니다. 가장 큰 단점은 유료라는 점입니다. 초기 무료 서비스가 끝나는 순간부터 유료로 이용해야 하는데 비용은 한 달에 8~120달러가 소요됩니다. 어떻게 보며 비싸고 어떻게 저렴해보이는 가격이지요. 이미지를 제작하기 위한 저작권 구매 비용이나 인력을 사용하는 비용과 비교한다면 결코 비싸지 않은 가격입니다. 그만큼 서비스를 효과적으로 활용해야 겠죠.

두 번째는 한국어를 지원하지 않는다는 점입니다. 그러므로 영어에 익숙지 않은 사람은 파파고와 같은 번역 프로그램을 한 번 거쳐야 하는 불편함을 가지고 있습니다. 조만간 Chat-GPT처럼 한국어를 지원하는 날도 오겠죠.

5

아트 AI 이미지 생성 서비스

미드저니 이외에 아트 AI 서비스를 제공하는 업체들을 알아 보겠습니다. 미드저니와 품질을 비교하기에는 문제가 있지만 무료로 이용할 수 있다는 매력을 가지고 있습니다. 스타일만 맞는다면 꽤 괜찮은 품질을 만들어주는 사이트도 있으므로 한 번쯤 살펴보는 것도 좋은 방법입니다.

● Leonardo.ai

무료 아트 AI 서비스를 제공합니다. 하루에 150 포인트를 무료로 제공하여 약 70장 정도의 이미지를 무료로 생성할 수 있습니다. [Stable Diffusion], [DreamShaper], [Leonardo] 등 여러 개의 모델 데이터를 제공하며 다양한 옵션을 설정할 수 있다는 점이 장점입니다. 꽤 준수한 퀄리티를 제공합니다. 레오나르도 홈페이지(https://leonardo.ai)에 접속한 다음 [Launch App]을 클릭하고 [AI Generation Tool] 메뉴를 클릭해서 프롬프트를 입력해서 이미지를 만들 수 있습니다. [Community Feed] 메뉴를 클릭하면 다른 사람들이 만든 이미지와 이미지에 사용된 프롬프트를 볼 수 있는데 이 프롬프트를 참조하면 보다 멋진 이미지를 생성할 수 있습니다.

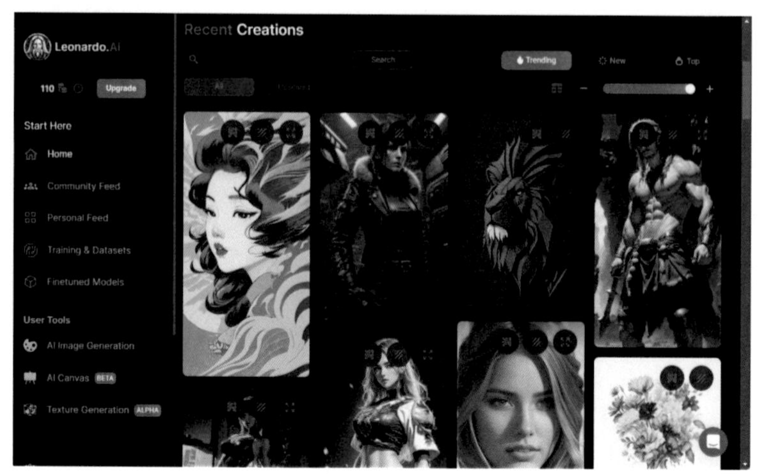

[레오나르도 ai] 홈페이지(https://leonardo.ai)

● Lasco.ai

네이버 스노우의 자회사인 슈퍼브랩스에서 제공하는 무료 아트 AI 서비스로 미드저니처럼 디스코드에서 동작하며 사용 방법도 유사합니다. [IMAGE GNERATION] 항목에서 이미지 생성을 할 수 있으며 이미지 생성 명령어는 '/gen'입니다. 이미지 품질은 미드저니처럼 높지 않아도 꽤 무난한 수준의 결과물이 나오므로 무료로 이용하기에 적당합니다.

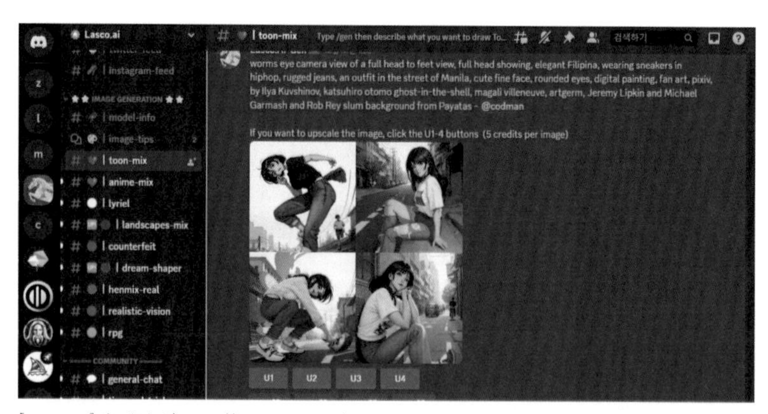

[Lasco.ai] 홈페이지(https://www.lasco.ai)

● Playground.ai

하루에 거의 1,000장을 무료로 만들 수 있는 아트 AI 서비스입니다. 플레이그라운드는 다양한 옵션을 제공하는 것이 특징입니다. 정해진 사이즈의 이미지를 만드는 [Board]와 원하는 사이즈를 드래그해서 지정하는 [Cavas] 스타일이 있고 모델도 [Stable Diffusion]과 [Playground]를 비롯해 유료 서비스인 [Dalle-2]도 지원합니다. 프롬프트 입력도 이미지에 배제할 프롬프트를 따로 지정할 수 있고 이미지에 적용할 다양한 필터도 제공하여 보다 정교한 이미지를 생성할 수 있게 하였습니다. 프롬프트 내용에 따라 결과의 품질 차이가 크기 때문에 프롬프트를 제대로 입력하면 제법 괜찮은 이미지를 생성해 줍니다.

[플레이그라운드 ai] 홈페이지(https://playgroundai.com)

● 마이크로소프트사의 디자이너

마이크로소프트사에서 제공하는 이미지 템플릿 생성 서비스입니다. 이 서비스는 다른 아트 AI와 다르게 단순하게 이미지 생성만

하는 것이 아니라 텍스트와 이미지가 함께 있는 카드 이미지와 같은 템플릿을 만들어 줍니다. 프롬프트를 입력하면 관련된 템플릿이 생성되며 원하는 템플릿을 선택해서 텍스트와 이미지를 편집하여 PNG, JPG, PDF 파일로 저장할 수 있습니다. 멋지고 아름다운 사진보다는 업무용으로 사용할 수 있는 현실적인 이미지를 만들어 주며 무엇보다 레이아웃 편집을 할 수 있다는 점이 매력적입니다. 현재 프리뷰 버전으로 디자이너 홈페이지(https://designer.microsoft.com)에 접속해서 베타 사용을 신청하면 심사 후 무료로 이용할 수 있습니다.

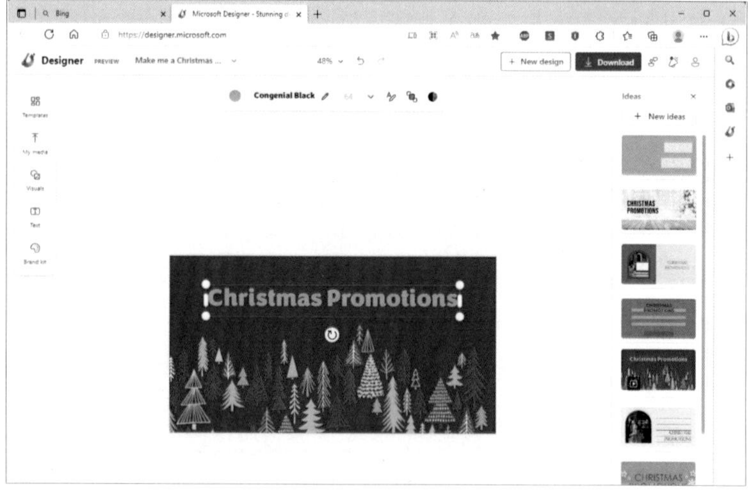

[디자이너] 홈페이지(https://designer.microsoft.com)

● 파이어플라이

어도비사에서 제공하는 아트 AI로 프롬프트 이미지 생성뿐만 아니라 이미지를 업로드해서 이미지를 보정하는 [Generative fill] 서비스와 일러스트 데이터를 비트맵으로 변환하는 서비스, 멋진 텍스트 이미지를 만들어 주는 서비스 등 다양한 서비스를 제공합니다. 새로운 서비스가 계속해서 추가되고 있으며 일부 서비스는 어도비의 포토샵이나 일러스트레이터에 도입되고 있기도 합니다. 프롬프트 이미지 생성의 품질은 저작권에 문제 없는 클린 이미지로 만들어지며 환상적인 이미지보다는 현실적인 이미지가 만들어 집니다. 베타 서비스로 운영되는 중이며 [파이어플라이] 홈페이지(https://firefly.adobe.com)에 접속해서 어도비 계정으로 베타 신청을 하면 심사 후 사용 권한을 부여받습니다.

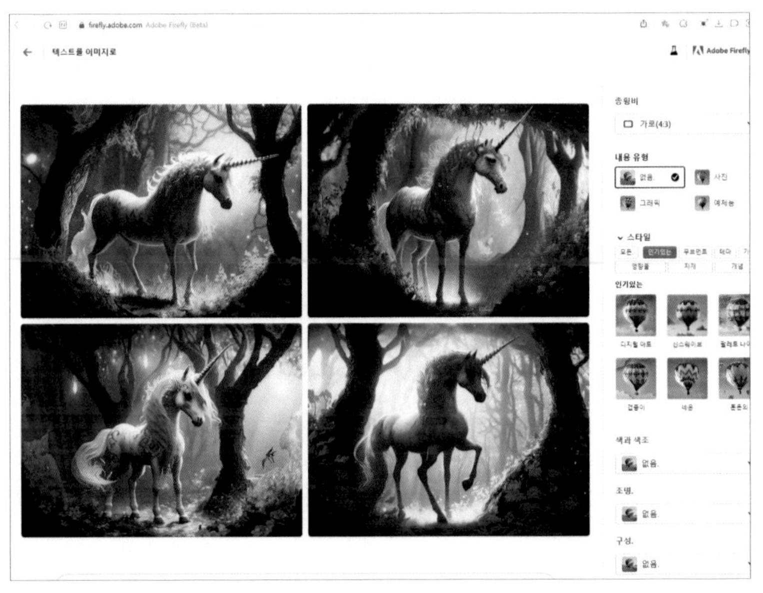

[파이어플라이] 홈페이지(https://firefly.adobe.com)

6

미드저니를 어떻게 활용하나요?

미드저니로 제작한 이미지로 어떻게 생산성을 높이고 상품으로 활용할 수 있는지 알아 보겠습니다.

● 업무용 이미지로 활용하기

유튜브, 홈페이지, 광고 등 우리는 일상 생활에서 고급 이미지들을 많이 필요로 합니다. 부지런한 사람은 관련 사진을 직접 촬영해 사용하기도 하지만 대부분 유료 또는 무료의 스톡 이미지 서비스를 이용합니다. 무료 이미지도 있지만 고급스러운 이미지를 사용하려면 유료 스톡 서비스를 이용해야 하는 경우가 대부분입니다. 미드저니를 이용하면 용도에 맞게 이미지를 생성하여 이용할 수 있습니다. 100% 스톡 이미지를 대체할 수는 없겠지만 70% 이상은 스톡 이미지를 대체할 수 있습니다. 미드저니를 이용하면 좋은 점은 이미 있는 이미지를 내가 사용할 목적에 맞는 것을 찾는 것이 아니라 나한테 필요한 이미지를 프롬프트로 작성해서 만들어 낼 수 있다는 점입니다. 잘만 사용한다면 스톡 이미지 서비스를 충분히 대신할 수 있을 것입니다.

● 스톡 이미지 만들기

앞에서 스톡 이미지로 사용할 수 있다고 설명했는데 더 나아가 미드저니로 제작한 이미지를 스톡 이미지에 판매할 수도 있습니다. 대표적인 스톡 이미지 사이트로 크라우드픽, 셔터스톡, 게티이미지 등이 있는데 아직은 인공지능으로 제작한 이미지를 받아주지는 않는 분위기입니다. 조만간 저작권 문제의 방향이 자리 잡으면 자리가 잡히리라 생각합니다. 인공지능 이미지를 등록할 수 있는 대표적인 스톡 이미지 사이트 중에는 어도비 스톡이 있는데 해당 규칙으로는 유명 인물과 장소, 유명인의 화풍 등을 적용한 경우 올릴 수 없도록 되어 있습니다. 그리고 인공지능의 능력을 활용하여 인공지능만이 가지고 있는 창의적인 이미지를 등록하기를 권고하고 있습니다.

이외에 고객의 서비스를 의뢰받아서 작업해주는 크몽이나 숨고에 AI 이미지 제작 서비스를 올려서 판매할 수도 있습니다. 이때 반드시 인공지능으로 제작했다고 명기해야 합니다. 이와 같이 미드저니를 이용해서 제작한 이미지를 상업용으로 판매하여 부수익을 창

어도비 스톡 홈페이지(https://stock.adobe.com)에서 미드저니로 생성한 이미지 등록

출하는 것도 방법입니다. 생각보다 많은 사람들이 이미 미드저니로 이미지를 만들어 판매하고 있답니다.

● 로고 만들기

미드저니를 이용하면 로고도 뚝딱 만들 수 있습니다. 회사나 단체 등의 로고를 제작하려면 전문가에게 의뢰해야만 했었는데 미드저니를 이용하면 멋진 로고를 만들 수 있습니다. 단, 미드저니로 생성한 이미지를 포토샵으로 리터치하거나 텍스트를 입력하는 과정이 필요하기 때문에 그래픽 툴을 조금은 다룰 수 있어야 합니다.

● 표지나 광고 디자인하기

도서 표지나 광고에 사용할 이미지도 미드저니를 이용하면 손쉽게 제작할 수 있습니다. 표지를 제작해본 사람이라면 이미지가 얼마나 중요한지 아실 거예요. 내용에 맞는 이미지를 찾는 것도 일이

미드저니로 생성한 이미지로 표지 디자인

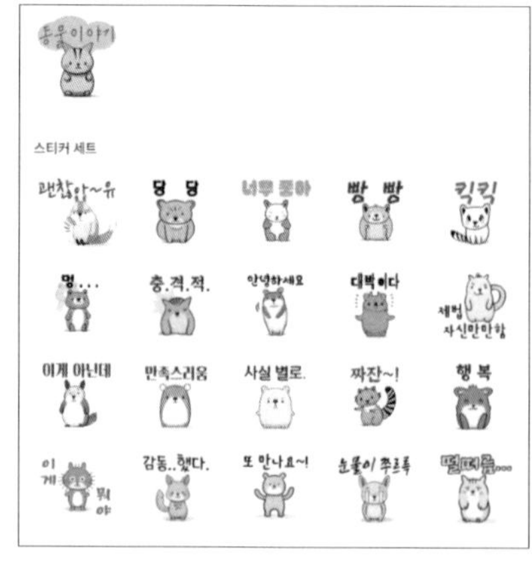

[네이버 OGQ 마켓] 홈페이지에 미드저니로 제작한 캐릭터 등록

지요. 미드저니를 이용하면 내용에 맞는 이미지를 생성해서 표지에 넣을 수 있습니다.

● 상품 디자인하기

의류의 일러스트나 스마트폰 케이스의 일러스트를 미드저니로 그려서 상품화할 수 있습니다. 상품 디자인을 지원해주는 [오라운드] 홈페이지(https://www.oround.com)에 접속하면 미드저니로 제작한 이미지를 티셔츠, 폰케이스, 키링, 스티커, 액자에 넣어서 상품화할 수 있습니다. 트랜드에 맞게 잘 만들면 부수익을 창출할 수 있답니다.

● 캐릭터 만들기

미드저니를 이용하면 다양한 종류의 캐릭터를 제작할 수 있습니다. 제작한 캐릭터로 웹툰에 이용할 수도 있고 [네이버 OGQ 마켓] 홈페이지(https://ogqmarket.naver.com) 서비스를 이용하여 캐릭터 이모티콘을 제작하여 판매도 할 수 있습니다.

[오라운드] 홈페이지에 미드저니로 제작한 캐릭터 등록

미드저니로 생성한 이미지로 컬러북 제작

7

이미지 인공지능, 미드저니

미드저니는 현재 베타 버전으로 운영되고 있습니다. 그리고 무료 체험 서비스를 제공하고 있어 회원가입 후 25번까지 무료로 이미지를 만들 수 있습니다. 이후부터는 유료 서비스로 전환됩니다. 여기서는 무료로 사용하기 위해서 회원가입을 하는 방법에 대해서 알아보겠습니다.

1. 웹 브라우저로 미드저니 홈페이지(http://www.midjourney.com)에 접속한 후 페이지 하단에 위치해 있는 [Join the Beta]를 클릭합니다.

가능한 웹 브라우저는 [크롬] 브라우저를 이용하는 것이 좋습니다.

2. 사용자 이름으로 사용할 명칭을 입력한 후 [계속하기] 버튼을 클릭합니다.

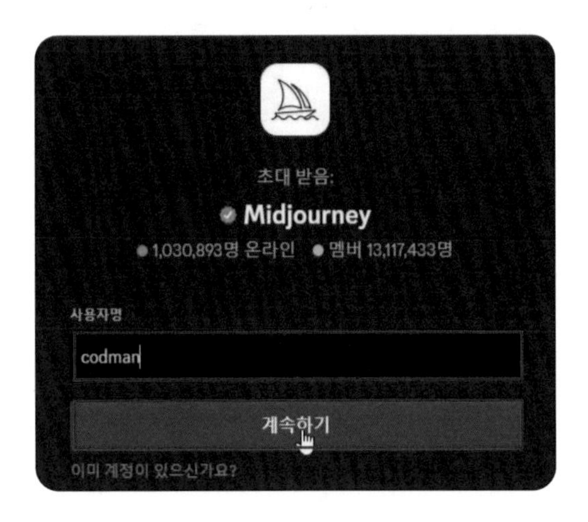

3. 로봇인지 검사하는 과정과 생년월일을 묻는 페이지에 정보를 입력하고 사용할 아이디에 이메일 주소와 비밀번호를 작성한 뒤 [계정 등록하기]를 클릭합니다.

이메일 계정당 한 번 가입 신청을 할 수 있습니다. 무료 사용 기간이 끝난 후 다른 이메일 계정으로 재신청하면 다시 사용이 가능합니다.

4. 사용자 아이디로 입력한 이메일 주소로 확인 과정이 진행됩니다. [Discord]로 수신된 이메일을 확인한 후 [이메일 승인]을 클릭하면 신청이 완료됩니다.

5. 웹페이지로 이동하면 이메일 인증 완료되었다는 확인 메시지가 나타납니다. [Discord로 계속하기]를 클릭하면 드디어 [Discord] 페이지가 열립니다.

[Discord]는 채팅 서비스로 친구를 초대하여 음성이나 텍스트로 대화할 수 있습니다.

6. [미드저니]에 접속하기 위해서 왼쪽 메뉴에서 아이콘을 클릭합니다. 몇 가지 질문 페이지가 나오면 순서대로 답하고 [완료] 버튼을 클릭합니다.

7. 드디어 미드저니 페이지에 접속했습니다.

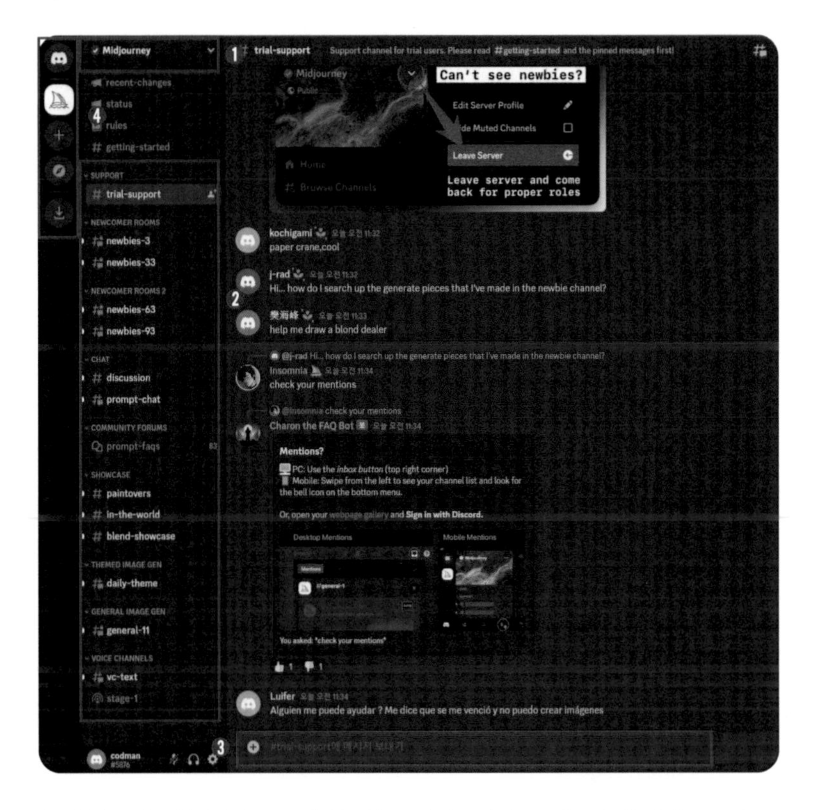

화면에 보이는 창은 [디스코드]라는 채팅 서비스입니다. 미드저니는 [디스코드] 안에서 제공하는 이미지 제작 서비스로 미드저니를 신청하면 왼쪽 메뉴에 범선 모양의 미드저니 아이콘이 보이게 됩니다. 미드저니 이외에 디스코드를 이용하는 [bluewillow.ai], [Lasco.ai] AI 아트를 신청하면 왼쪽 메뉴에 해당 서비스의 아이콘이 추가됩니다. 그럼 디스코드의 기본적인 화면의 구성에 대해서 살펴보겠습니다.

❶ 디스코드 메뉴 : 디스코드 이용에 관련된 메뉴입니다. 메뉴 중 [모든 채널 표시하기]가 있는데 이 메뉴를 체크하면 보이지 않았던 채널 목록들을 보이게 해줍니다.

❷ 채널 목록 : 미드저니 정보 또는 이미지 제작할 수 있는 방 목록입니다. 이미지를 제작하려면 'newbies'로 시작하는 이름의 방을 선택하거나 'general'로 시작하는 방을 클릭해서 접속합니다. [INFO] 항목에는 미드저니 관련된 정보들을 볼 수 있고 [COMMUNITY FORUMS]-[promft-faqs]에는 프롬프트에 관련된 질의응답 정보를 볼 수 있습니다.

❸ 프롬프트 창 : 대화를 하거나 이미지 제작할 때 사용하는 명령과 프롬프트를 입력하는 공간입니다. [+] 버튼은 파일 업로드 관련 명령을 내릴 때 사용합니다.

❹ 메뉴 : 디스코드 에서 제공하는 각종 메뉴입니다.

다이렉트 메시지 : 친구를 추가하고 친구와 메시지를 나눌 수 있는 페이지로 이동합니다.

Midjourney : 이미지 제작을 할 수 있는 서버가 있는 페이지로 이동합니다.

서버 추가하기 : 내 개인 서버를 추가합니다.

공개 서버 살펴보기 : 공개되어 있는 서버 리스트를 검색하고 접속할 수 있는 페이지로 이동합니다.

앱 다운로드 : PC 또는 모바일 기기에 프로그램을 설치합니다. 스마트폰은 앱 스토어에서 'Discord'를 검색해서 프로그램을 설치할 수 있습니다. 웹 브라우저가 아닌 프로그램으로 실행할 수 있도록 해줍니다.

[디스코드]를 스마트폰에 설치해서 사용할 수 있습니다. 안드로이드폰은 [Play 스토어], 애플은 [앱 스토어]에서 '디스코드'를 검색한 뒤 앱을 설치해서 실행하면 디스코드가 열립니다. 미드저니를 이미 등록했다면 미드저니 방도 나타납니다. 미드저니 방에 접속해서 PC에서 사용했던 방법과 동일한 방법으로 이미지를 생성할 수 있습니다.

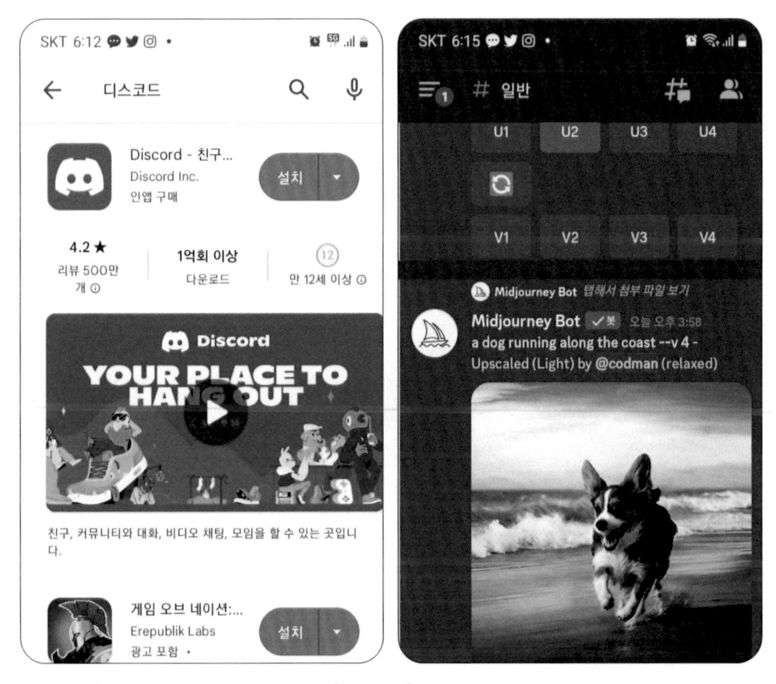

[디스코드] 앱을 설치하면 스마트폰에서 [디스코드]를 실행하여 미드저니 서비스를 이용할 수 있습니다.

8

디스코드 앱으로 미드저니 바로 실행하기

미드저니는 디스코드라는 채팅 앱에서 동작하는 프로그램입니다. 그래서 웹 브라우저에서 미드저니에 접속해서 사용하는데 디스코드 앱을 이용하면 웹 브라우저 없이 앱을 실행해서 바로 사용할 수 있습니다. 또한 스마트폰에서도 디스코드 앱을 설치해서 PC와 같은 방법으로 실행할 수 있습니다.

1. 미드저니 홈페이지(http://www.midjourney.com)에 접속한 상태에서 [앱 다운로드] 버튼을 클릭합니다.

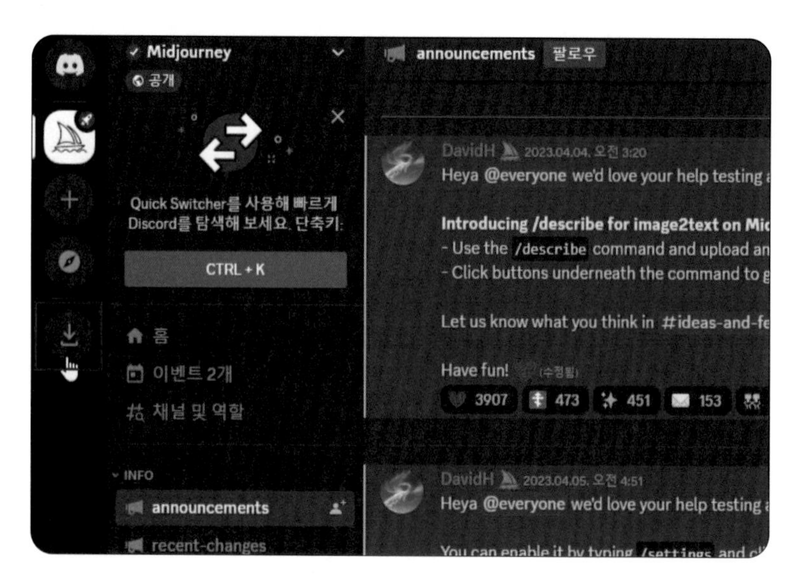

2. [Windows] 항목의 [다운로드]를 클릭합니다.

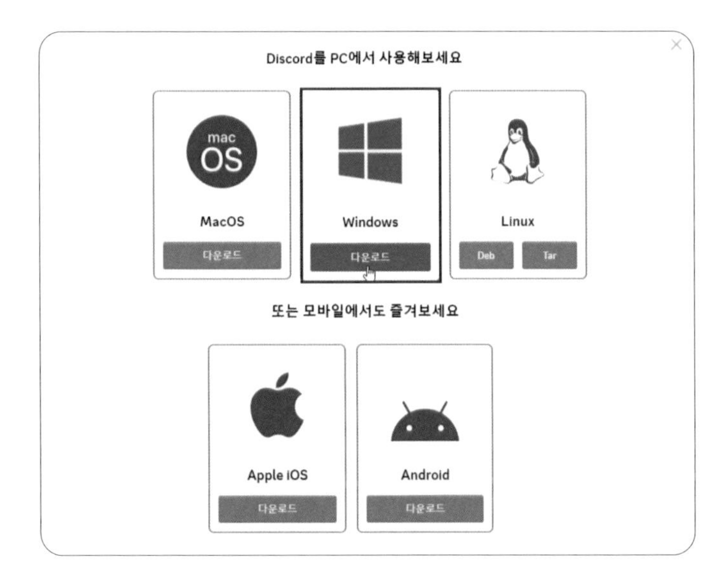

3. PC에 [Discord] 앱이 설치됩니다. 앞으로 이 앱을 실행해서 바로 미드저니를 실행할 수 있습니다.

9

미드저니 유료 서비스 신청하기

미드저니는 25번의 무료 테스트가 끝나면 유료 서비스로 전환됩니다. 유료 서비스는 베이직, 스탠다드, 프로로 나뉘며 월간 또는 연간으로 나누어서 결제할 수 있습니다. 여기서는 미드저니 유료 서비스를 신청하는 방법에 대해서 알아보겠습니다.

1. 웹브라우저에 미드저니 홈페이지(http://www.midjourney.com)에 접속하면 개인 페이지가 나타납니다. 왼쪽 하단에 위치해 있는 계정 이름 옆에 [···] 버튼을 클릭하고 [Go to Discord]를 클릭합니다.

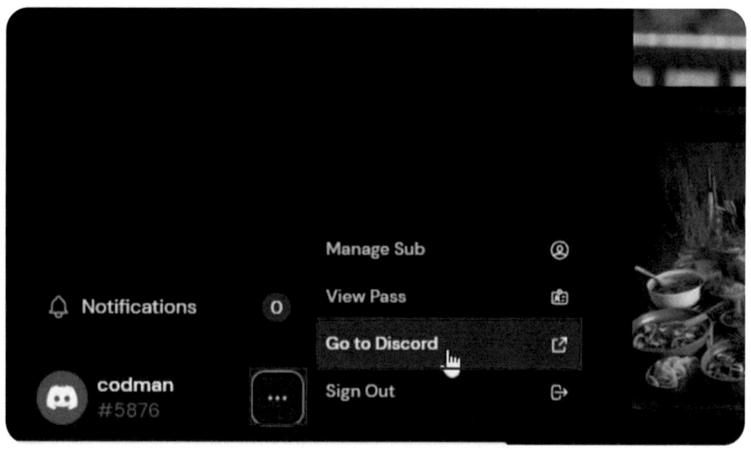

미드저니에 로그인되어 있는 경우에는 개인 페이지가 열리고 로그인되어 있지 않으면 미드저니 첫 페이지가 열립니다. 미드저니 첫 페이지가 열리면 [Join the Beta]를 클릭해서 접속합니다.

2. 디스코드 페이지로 이동하면 왼쪽 메뉴에서 newbies로 시작하는 방 중 하나를 골라 클릭합니다. 디스코드 페이지에서 작업을 하려면 반드시 방에 접속해야 합니다.

3. 하단의 프롬프트 창을 클릭해서 커서를 위치시킨 다음 '/'를 입력합니다. 명령어 목록이 나타나면 [/subscribe]를 클릭합니다.

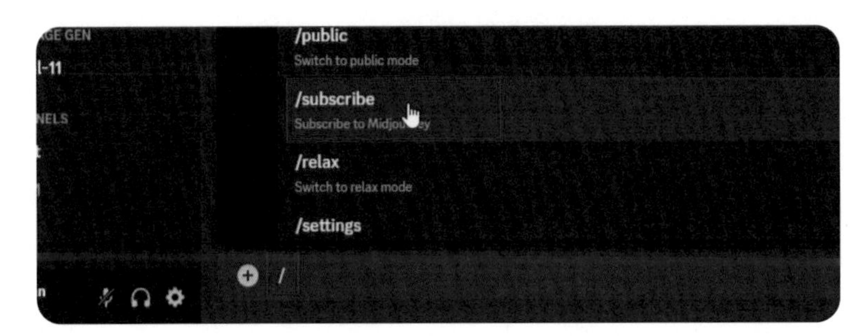

프롬프트 창에서 '/'를 입력하고 's'를 입력하면 s로 시작하는 명령어들이 나타나기 때문에 스크롤해서 찾기보다 직접 명령어를 입력하는 방법이 더 빠를 수 있습니다.

4. [Open subscribe page] 버튼을 클릭합니다.

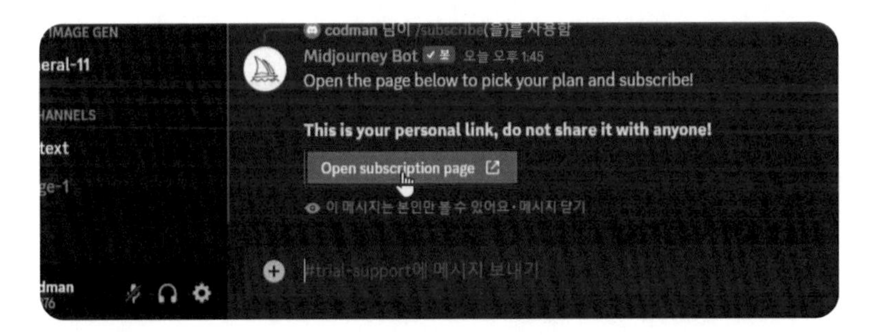

5. 안내 메시지 창이 나타나면 [넵!] 버튼을 클릭합니다.

6. 결제 페이지가 나타나면 화면을 오른쪽 클릭한 후 [한국어(으)로 번역]을 클릭합니다. 크롬 브라우저 이외에 엣지, 웨일 브라우저에서도 번역 기능을 제공합니다.

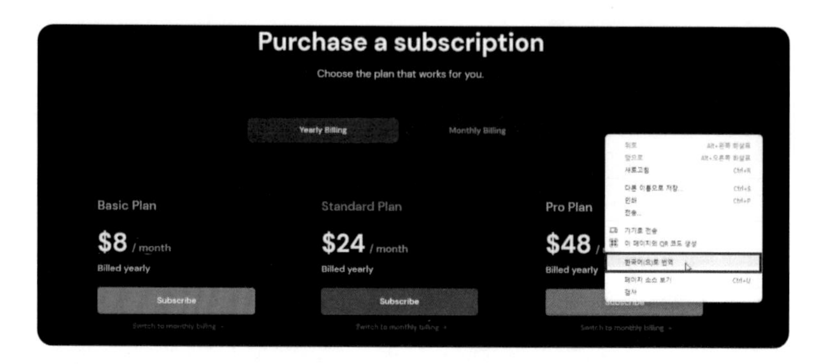

7. 한국어로 번역되면 내용을 확인한 후 구매하고 싶은 항목을 고르고 [구독하다]를 클릭해서 결제를 진행합니다.

구독은 크게 [연간 청구]와 [월별 청구]가 있습니다. [연간 청구]는 연간 계약으로 월 사용료보다 좀 더 저렴하지만 1년 단위로 계약된다는 특징을 가지고 있습니다.

구독 서비스 종류

미드저니에서는 이미지 제작을 빠르게 또는 느리게 작업할 수 있는 서비스를 제공합니다. 베이직(기본 계획)은 패스트 모드로 월 200분 동안 사용이 가능하고 스탠다드는 15시간, 프로는 30시간 이용할 수 있습니다. 느린 속도인 릴랙스 모드는 베이직에서 사용할 수 없지만 스탠다드와 프로는 무제한 사용이 가능합니다. 한 번에 동시 작업할 수 있는 개수는 3개로 모두 동일하며 모두 상업적으로 이용할 수 있습니다. 구독은 크게 월간과 연간으로 나뉘며 연간은 조금 더 저렴하게 구매할 수 있습니다.

	베이직	스탠다드	프로	메가
월간 구독	$10	$30	$60	$120
연간 구독	$8	$24	$48	$96
패스트 모드	3시간 20분	15시간	30시간	60시간
릴랙스 모드	X	무제한		
패스트 모드	패스트	터보 모드(패스트보다 빠름)		
동시 작업수	3개		12개	
스텔스 모드	X	X	O	
저작권	상업용			

나에게 맞는 요금제는 무엇일까?

미드저니 요금제는 베이직, 스탠다드, 프로, 메가로 나뉘며 결제 방법에 따라 월별 결제와 연간 결제로 나눕니다. 월별 결제는 언제든 결제 해지할 수 있는 장점이 있고 연간 결제는 사용료 1년치를 한 번에 결제하는 대신 월별 결제보다 사용료가 저렴합니다.

어떤 요금제를 사용하는 것이 좋을지 혼란스럽죠. 여기서는 각각의 요금제의 특징과 나에게 맞는 요금제는 어떤 것인지 알아 보겠습니다. 처음에는 회원가입하면 25장 정도 무료로 사용할 수 있는 서비스를 제공합니다. 무료 서비스를 이용하다가 서비스가 완료되었다는 메시지가 나타나면 유료 서비스를 선택하도록 합니다. 유료 서비스 종류 선택은 본인의 활용 빈도를 고려해야 합니다. 만일 한 달 동안 이따금씩 사용한다면 베이직 플랜을 이용해도 됩니다. 그러나 매일 자주 사용한다면 스탠다드 플랜을 추천합니다. 스탠다드는 패스트 모드로 15시간을 사용할 수 있고 작업 속도가 느린 릴랙스 모드는 사용 시간이 무제한이기 때문입니다. 사용 시간이란 이미지 생성을 위해 명령어를 입력하고 실행하는 데까지 걸리는 시간을 말합니다. 패스트 모드는 보통 1분 이내로 빠르게 실행되고 릴랙스 모드는 1분이 넘게 걸립니다. 두 모드 상황에 따라 실행 속도가 다를 수 있지만 특히 릴랙스 모드는 가끔 평소보다 훨씬 오래걸릴 때가 있습니다.

릴랙스 모드는 조금 느리긴 하지만 무료이기 때문에 일반적인 이미지 생성은 릴랙스 모드로 이용하도록 합니다. 그리고 최종 업스케일 작업은 가장 마지막에 최종 데이터를 만들 때만 이용하도록 합니다. 업스케일 작업은 무조건 패스트 모드로 동작하기 때문입니다. 패스트 모드를 사용하지 않으려고 해도 결국 업스케일 작업 때문에 사용할 수밖에 없습니다. 그러므로 많이 사용하는 경우에는 이러한 방법으로 한 달동안 충분히 사용할 수 있습니다. 참고로 최근에는 릴랙스 모드 처리 속도가 기존보다 더 느려졌기 때문에 기다리기 힘들거나 급하게 처리해야 할 때는 사용하기 번거로울 수 있습니다.

프로 플랜과 메가 플랜은 패스트 모드를 30시간, 메가는 60시간을 제공해주는 서비스입니다. 이 플랜의 매력은 바로 스텔스 기능을 제공한다는 점입니다. 미드저니는 이미지 생성을 하면 이미지와 이미지 생성에 사용된 프롬프트를 누구나 볼 수 있습니다. 만일 내가 작업한 이미지를 공개하고 싶지 않다면 스텔스 모드를 이용해야 하는데 스텔스 기능은 프로 플랜에서만 제공합니다. 그리고 또 하나의 특징은 동시 작업의 개수입니다. 이미지 생성시 소요되는 시간을 고려해 동시에 여러 개의 이미지를 생성하기도 하는데 베이직과 스탠다드는 최대 3개까지만 동시 처리가 가능합니다. 어떻게 보면 충분해 보이지만 많은 작업을 할 때는 부족한 수 많습니다. 프로 플랜은 동시에 12개까지 동시 작업이 가능하므로 부족함 없이 작업을 할 수 있습니다.

각 요금제에 대해서 알아봤는데요. 다시 정리하자면 처음에는 베이직 플랜을 사용하고, 사용하다가 부족하다고 느껴지면 스탠다드 플랜을 이용하기를 추천드립니다. 베이직 플랜에서 제공하는 15시간이 결코 짧은 시간은 아닙니다. 그러므로 베이직 플랜을 사용해본 후에 플랜 변경을 생각해 보도록 합니다. 그리고 내가 만든 이미지를 다른 사람에게 오픈하고 싶지 않고 동시에 많은 이미지 생성을 실행하고 싶다면 프로나 메가 플랜을 사용하도록 합니다. 그리고 스탠다드 플랜 이상의 플랜에는 패스트 모드보다 빠른 터보 모드가 생겨 훨씬 빠르게 이미지를 생성할 수 있습니다. 이는 베이직과 스탠다드를 구분하는 차별점이기도 합니다.

미드저니 구독 확인하고 구독 취소하기

미드저니는 구독으로 운영되기 때문에 한 달 결제가 끝나면 서비스가 끝나지 않고 익월 결제가 자동으로 진행됩니다. 그러므로 한 달만 사용할 계획이라면 구독 취소를 미리 해야 합니다.

미드저니 구독을 취소하려면 앞에서 알아본 방법대로 [/subscribe] 명령을 통해 [subscribe page] 페이지로 이동합니다. 이곳에서 구독한 플랜 정보를 볼 수 있습니다. [Included] 항목에서는 남은 패스트 모드 시간을 확인할 수 있습니다. 구독을 취소하려면 [Billing & Payment]에서 [Cancel Plan]을 클릭해서 구독을 취소할 수 있습니다.

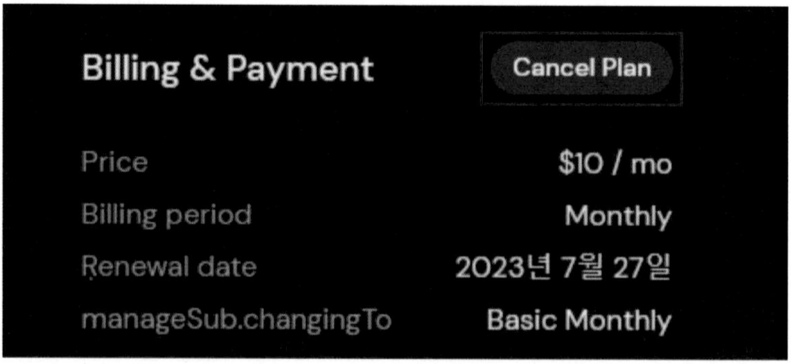

Billing & Payment　Cancel Plan

Price	$10 / mo
Billing period	Monthly
Renewal date	2023년 7월 27일
manageSub.changingTo	Basic Monthly

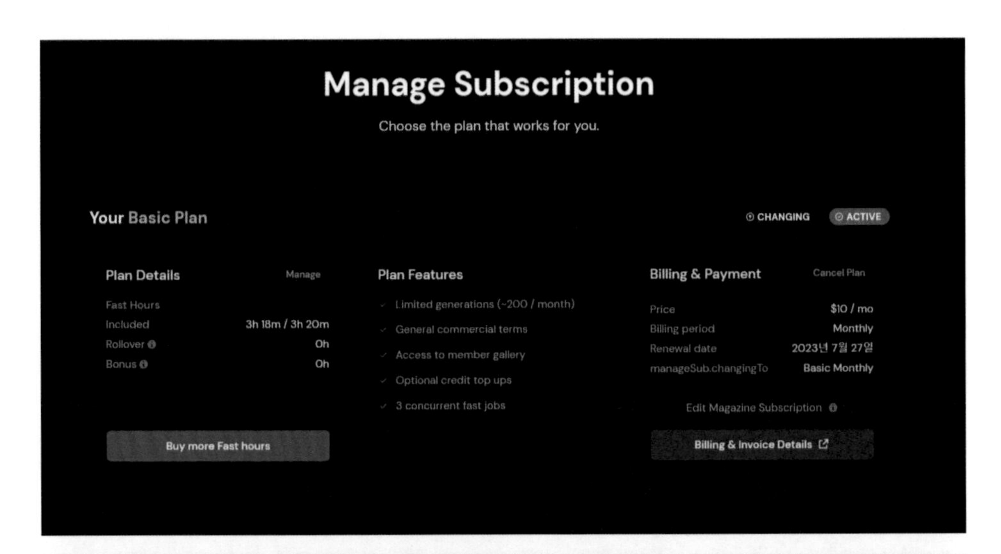

사용 정보를 보면 이용 시간이 표시되는데 이때 표시된 시간은 사용한 시간이 아니라 남아 있는 시간입니다. 즉 3h 18m / 3h 20m이란 총 사용할 수 있는 시간은 3시간 20분이고 현재 3시간 18분이 남았다는 것을 의미합니다.

만일 사용 시간이 부족하다면 [Buy more Fast hours] 버튼을 클릭하면 1시간, 2시간, 5시간, 12시간 별로 구매해서 추가할 수 있습니다.

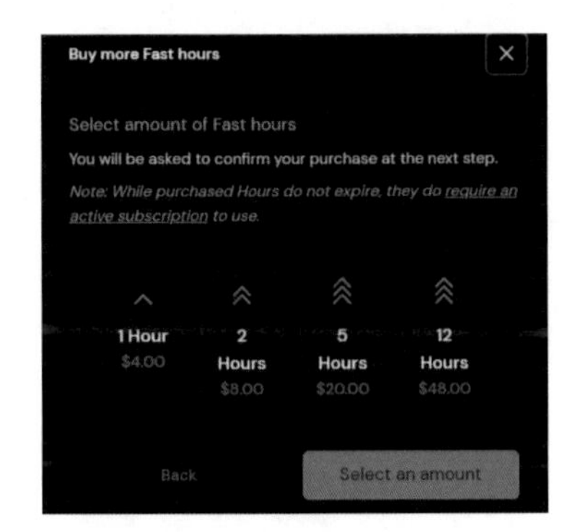

미드저니 잡지 구독하기

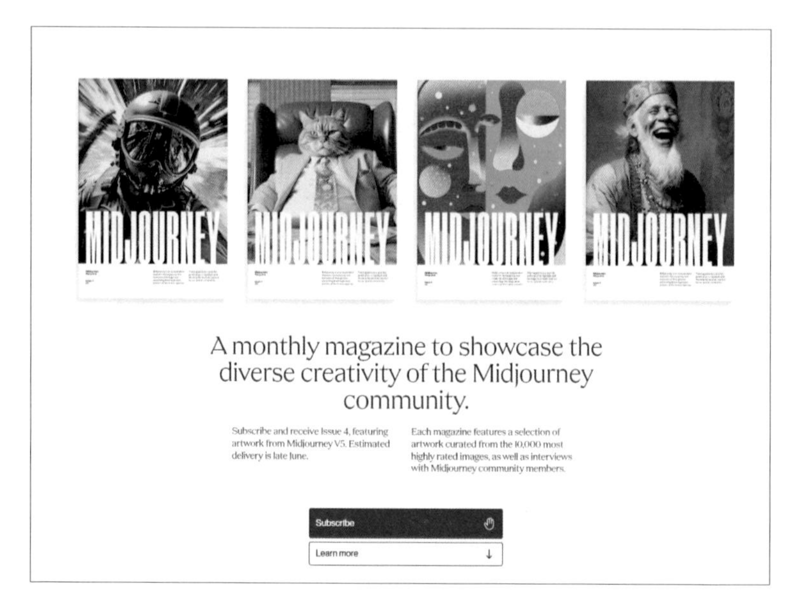

미드저니는 미드저니로 생성한 이미지를 소개하는 월간지 서비스를 운영합니다. [미드저니 매거진] 홈페이지(https://mag.midjourney.com)에 접속해서 [Subscript]를 클릭하면 구독을 신청할 수 있습니다. 구독료는 월 4$이며 구독을 신청하면 입력한 주소로 잡지를 보내 줍니다. 구독 정보는 앞서 알아본 [subscribe page] 페이지에서 [Edit Magazine Subscription] 링크를 클릭하면 구독 정보를 확인하거나 구독을 해지할 수 있습니다.

10

텍스트로 이미지 제작하기

미드저니로 내가 만들고 싶은 이미지를 표현하는 텍스트를 입력해서 이미지를 만들어 보겠습니다. 미드저니에서 프롬프트 텍스트는 영어만 인식되기 때문에 파파고 번역기를 사용해서 한글을 영어로 변환하여 작업해 보겠습니다.

1. 미드저니의 디스코드 화면에서 [Midjourney] 아이콘을 클릭한 다음 'newbies'로 시작하는 방 중 아무 방을 골라 클릭합니다.

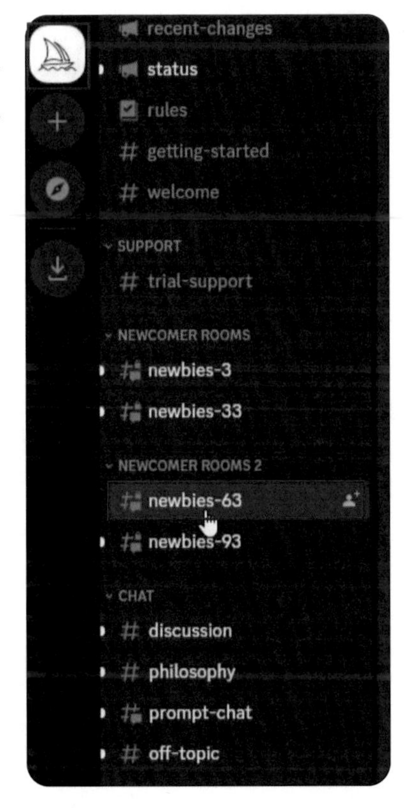

2. 프롬프트 창을 클릭한 후 '/'을 입력합니다. 펼침 메뉴가 열리면 이중에서 [/imagine prompt]를 선택합니다.

3. 다른 웹 브라우저 창을 연 다음 파파고 홈페이지(http://papapo.naver.com)에 접속해서 왼쪽 창에 검색어를 입력하고 [번역하기]를 클릭합니다. 오른쪽 창에 번역된 결과가 나타나면 드래그한 후 Ctrl + C 를 눌러 복사합니다.

4. 다시 [Midjourney] 홈페이지로 돌아 온 후 프롬프트 창에서 'prompt' 옆을 클릭해서 커서를 위치한 후 Ctrl + V 를 눌러 붙여 넣고 Enter 를 누릅니다.

5. 리스트에 진행중이라고 표시됩니다. 여러 사람이 함께 이용하는 방이다보니 내 작업뿐만 아니라 다른 사람이 진행하는 목록도 계속해서 올라옵니다.

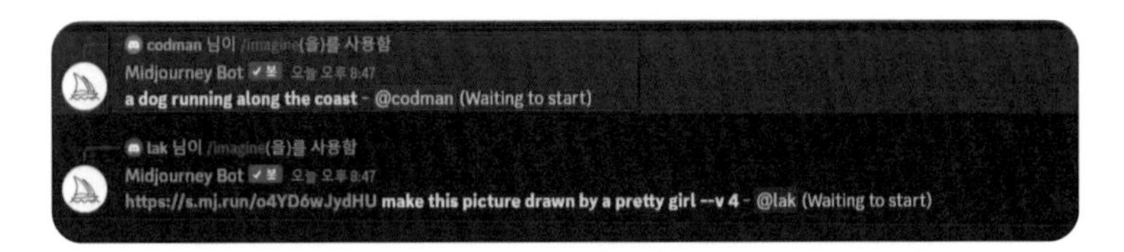

6. 계속해서 올라오는 리스트 중 내가 올린 이미지가 나타납니다. [V1], [V2], [V3], [V4] 4장의 사진 중 가장 마음에 드는 사진 번호를 골라 클릭합니다. 여기서는 세 번째 이미지가 잘 나왔으므로 [V4]를 클릭해 보겠습니다. [Remix Prompt] 창이 열리면 [전송] 버튼을 클릭합니다.

[V]는 바리에이션한다는 의미로 선택한 이미지를 다양한 모습으로 다시 디자인해주는 기능입니다. 숫자 1, 2, 3, 4는 그림 순서로 상단 왼쪽, 상단 오른쪽, 하단 왼쪽, 하단 오른쪽 순으로 번호를 매깁니다.

[Remix Prompt]는 새롭게 바레이션할 때 추가할 요소를 지정할 때 사용합니다. 긴털의 강아지, 흰색 컬러 강아지 등의 요소를 추가해서 바레이션을 할 수 있습니다. 만일 추가할 사항이 없으면 바로 [전송] 버튼을 클릭합니다.

7. 잠시 후 선택한 이미지를 바리에이션해서 이미지가 올라 옵니다. [U1], [U2], [U3], [U4] 중 4장의 사진 중 가장 마음에 드는 사진 번호를 골라 클릭합니다.

[U]는 업스케일의 의미로 선택한 이미지를 큰 크기로 만들어주는 기능입니다. 숫자 1, 2, 3, 4는 그림 순서로 상단 왼쪽, 상단 오른쪽, 하단 왼쪽, 하단 오른쪽 순으로 번호를 매깁니다.

8. 잠시 후 선택한 이미지가 큰 이미지로 나타납니다. 이 상태가 최종 이미지가 완성된 단계입니다. 만일 이미지에서 피사체를 축소하고 배경을 넓게 설정하고 싶다면 줌 아웃 옵션을 설정합니다. 여기서는 줌아웃을 2배 정도 설정하기 위해서 [Zoom Out 2x]을 클릭합니다.

[Zoom Out 2x]는 2배 넓게 만들고 [Zoom Out 1.5x]는 1.5배 넓게 만들어 줍니다. [Custom Zoom]은 이미지를 합성해서 줌 아웃해주는 기능입니다.

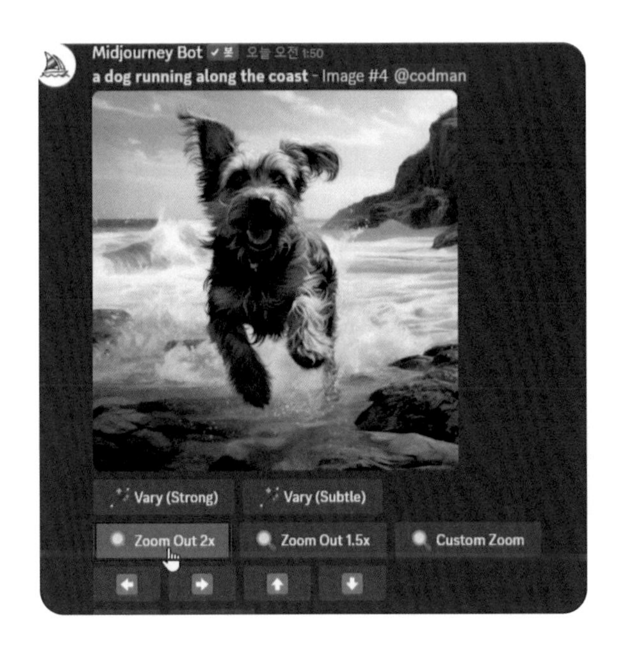

9. 잠시 후 줌아웃된 이미지가 재생성 됩니다. 마음에 드는 이미지를 골라 업스케일을 실행합니다.

10. 이번에는 팬 효과를 넣어 볼게요. 이미지를 확장하고 싶은 방향의 버튼을 클릭합니다.

업스케일한 후에도 다시 바리에이션을 하고 싶다면 [Vary(Strong)]과 [Vary(Subtle)] 중에 하나를 선택합니다. [Vary(Strong)]은 바리에이션을 강하게 설정하여 변화를 많이 주는 스타일이고 [Vary(Subtle)]은 변화를 적게 반영하여 바이레이션을 해주는 기능입니다.

팬은 왼쪽, 오른쪽, 위쪽, 아래쪽 4개의 방향으로 지정할 수 있으며 선택한 방향쪽을 넓게 확장해 줍니다. 이때 화면 비율도 왼쪽과 오른쪽으로 확장할 경우 3:2, 위쪽과 아래쪽으로 확장할 경우 2:3으로 변경됩니다.

11. [Pan Right] 창이 열리면 [전송] 버튼을 클릭합니다.

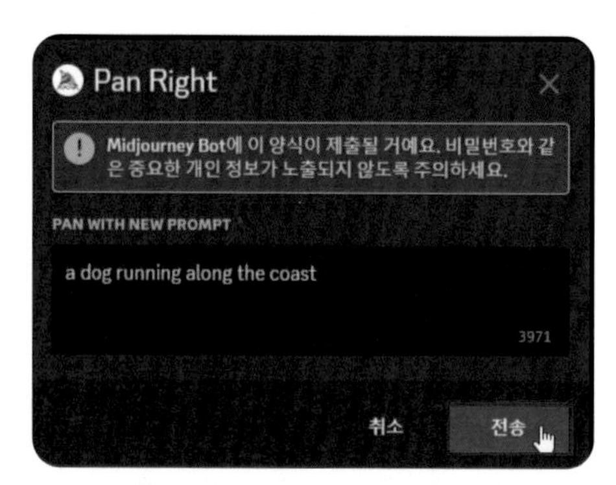

프롬프트에는 추가하고 싶은 요소를 넣어서 꾸밀 수 있습니다. 그냥 이미지만 확대하려면 프롬프트를 수정하지 않고 진행합니다.

12. 잠시 후 이미지가 생성되면 [U1], [U2], [U3], [U4] 중 4장의 사진 중 가장 마음에 드는 사진 번호를 골라 클릭합니다.

프롬프트를 추가하지 않아도 미드저니는 넓어진 영역에 적당한 내용을 추가하기도 합니다.

[Pan Right] 창에 '견주와 함께 달림' 이라는 프롬프트를 넣으면 넓어진 이미지 공간에 추가한 프롬프트 내용이 적용됩니다.

13. 선택한 이미지가 열리면 이미지를 클릭합니다.

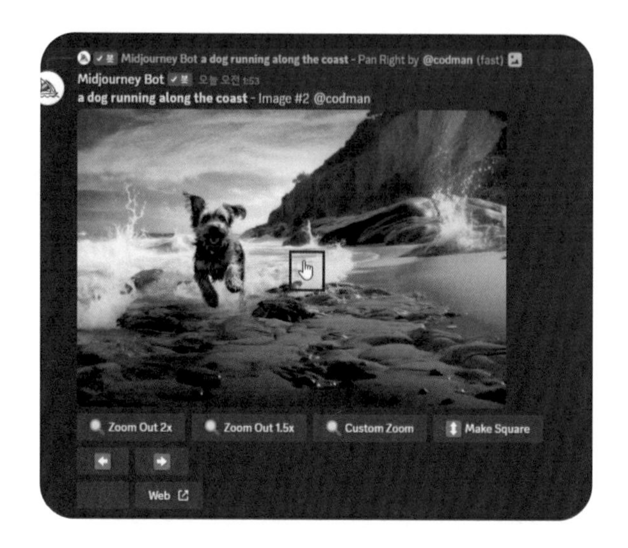

14. 이미지가 크게 열리면 이미지 왼쪽 하단에 위치해 있는 [브라우저로 열기]를 클릭합니다.

[브라우저로 열기]를 클릭하면 브라우저로 선택한 이미지를 큰 크기로 열어 줍니다.

앞에서는 다양한 기능을 보여주느라 많은 과정을 거쳤지만 이미지를 생성한 후 바로 업스케일을 한 후 바로 브라우저로 열기를 실행하여 이미지를 저장해도 됩니다.

15. 새 창에 이미지가 크게 열리면 [다른 이름으로 사진 저장]을 클릭해서 이미지를 PC에 저장합니다.

업스케일링 된 이미지 크기는 1024×1024 픽셀입니다.

16. [다른 이름으로 저장] 대화 상자가 나타나면 저장할 폴더를 선택해서 저장합니다.

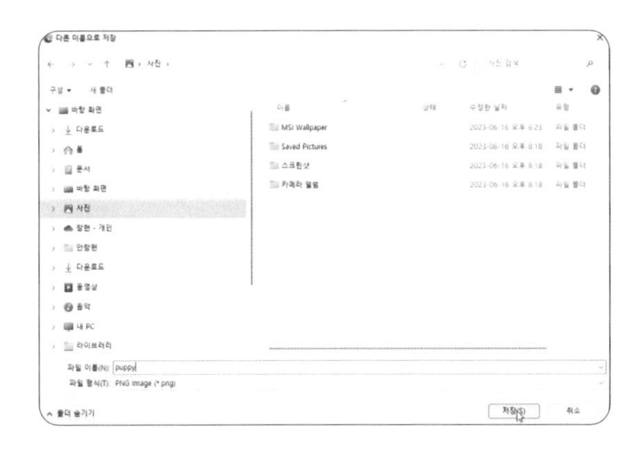

저장되는 이미지의 기본 파일 형식은 PNG입니다.

11

미드저니 버전 4로 더 크게 업스케일하기

미드저니 버전 5는 1:1 비율 이미지를 기준으로 가로·세로 1024 픽셀까지만 업스케일이 가능하지만 미드저니 버전 4를 이용하면 보다 큰 크기까지 업스케일을 할 수 있습니다. 미드저니 버전 4는 현재 버전에 비해 섬세함은 덜하다는 단점을 가지고 있으므로 잘 검토한 후 이미지 품질을 잘 파악한 후 미드저니 버전 4로 업스케일링하도록 합니다. 미드저니 버전 4로 큰 크기로 업스케일하는 방법에 대해서 알아보겠습니다.

1. [Midjourney]의 프롬프트 창에서 [/imagine prompt]를 선택하고 a dog running along the coast를 입력한 후 한 칸 띄우고 --v 4 를 입력한 뒤 Enter를 누릅니다.

/imagine prompt a dog running aling the coast --v4

'--v 4'는 미드저니 버전을 4로 설정해주는 파라미터입니다. 입력하지 않으면 최신 버전이 자동으로 설정됩니다.

2. 이미지가 생성되면 [U1], [U2], [U3], [U4] 4장의 사진 중에서 가장 마음에 드는 사진 번호를 골라 업스케일을 실행합니다.

[U]는 업스케일의 의미로 선택한 이미지를 큰 크기로 만들어주는 기능입니다. 숫자 1, 2, 3, 4는 그림 순서로 상단 왼쪽, 상단 오른쪽, 하단 왼쪽, 하단 오른쪽 순으로 번호를 매깁니다.

3. 업스케일이 되었으면 [Beta Upscale Redo]를 클릭해서 2배로 큰 이미지를 얻을 수 있습니다.

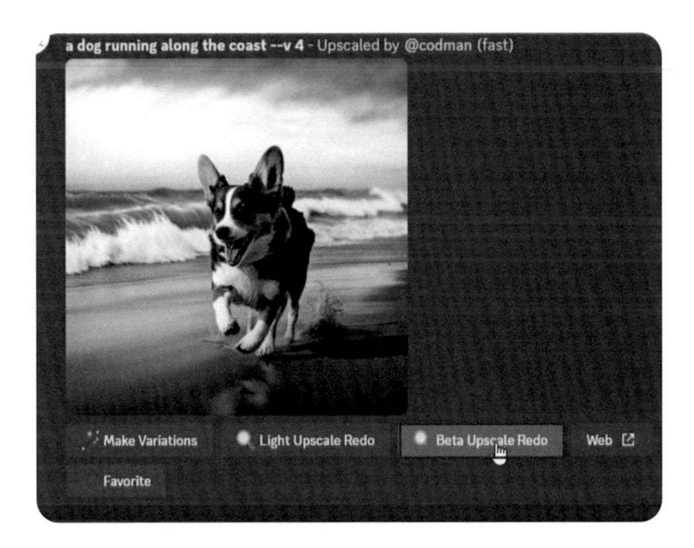

960×960 픽셀에서 2048×2048 픽셀로 커집니다.

미드저니 버전 4에서 지원하는 다양한 업스케일 옵션

- Light Upscale Redo : 이미지 사이즈를 1536×1536px로 설정하고 적당한 디테일과 텍스처를 추가합니다.
- Detailed Upscale Redo : 1536×1536px 크기를 생성하고 이미지에 많은 세부 정보를 강조 및 추가합니다. 이 옵션은 [Light Upscale Redo] 또는 [Beta Upscale Redo]를 실행한 후 사용할 수 있습니다.
- Beta Upscale Redo : 2048×2048px 사이즈의 이미지를 만들고 디테일을 추가하지 않지만 표면을 매끄럽게 처리합니다.
- Remaster : --test, --creative 파라미터를 적용하여 좀 더 창의적으로 이미지 2장을 다시 만들어 줍니다.

12

무료로 4배 더 크게 업스케일하기

이미지의 업스케일 서비스를 제공하는 [Upscale media]라는 홈페이지가 있습니다. 여기서 제공하는 서비스를 이용하면 미드저니로 만든 이미지를 보다 크게 업스케일하여 이미지 사이즈를 확대할 수 있습니다. 최대 4배까지 가능하므로 미드저니 버전 4의 업스케일 기능을 이용하지 않고도 충분한 크기의 이미지를 만들 수 있습니다.

1. [Upscale media] 홈페이지(https://www.upscale.media)에 접속해서 [Upload Image] 버튼을 클릭한 다음 미드저니로 업스케일한 이미지를 선택합니다. JPG, PNG 파일을 업로드할 수 있습니다.

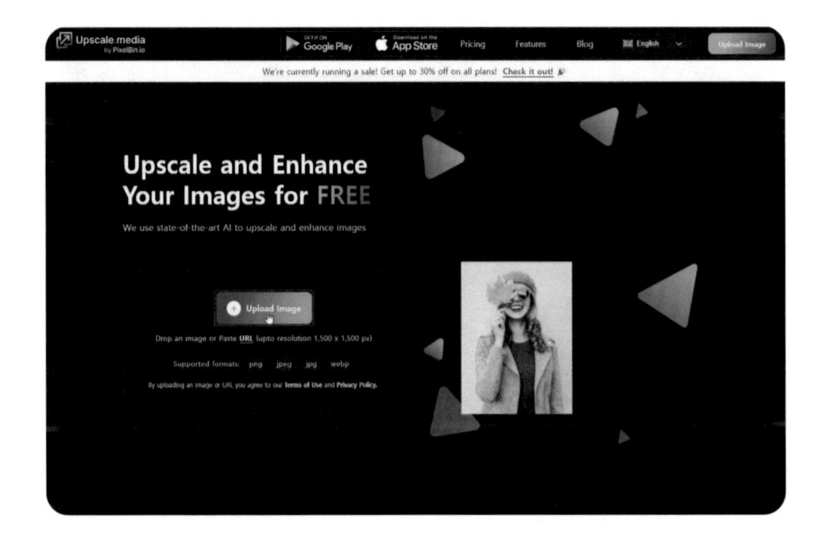

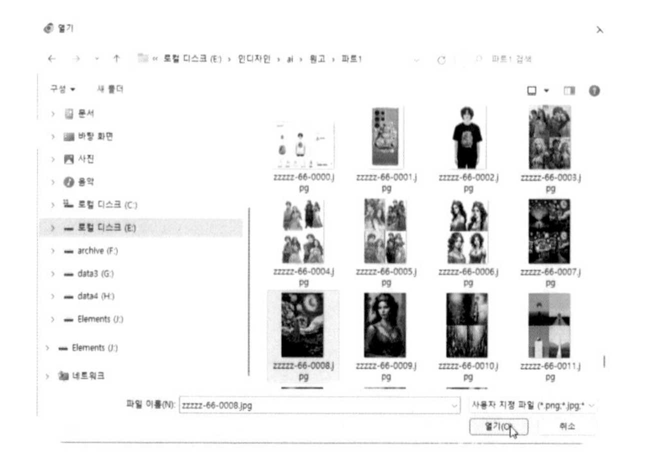

2. [Upscale to] 항목에 배율 [2×]를 선택하고 [Enhance Quality] 항목은 [On]을 선택한 후 [Download Image]를 클릭해서 업스케일링합니다. 896×1344 픽셀 이미지가 1792×2688 픽셀로 커집니다.

배율 [4×]는 이미지가 1500 픽셀 이하인 이미지에서만 동작합니다. 1500 픽셀 이상의 이미지는 배율 [2×]만 사용할 수 있습니다.

3. [Upscale to] 항목에 배율 [4×]를 선택하고 [Enhance Quality] 항목은 [On]을 선택한 후 [Download Image]를 클릭해서 업스케일링합니다. 896×1344 픽셀 이미지가 3584×5376 픽셀로 커집니다.

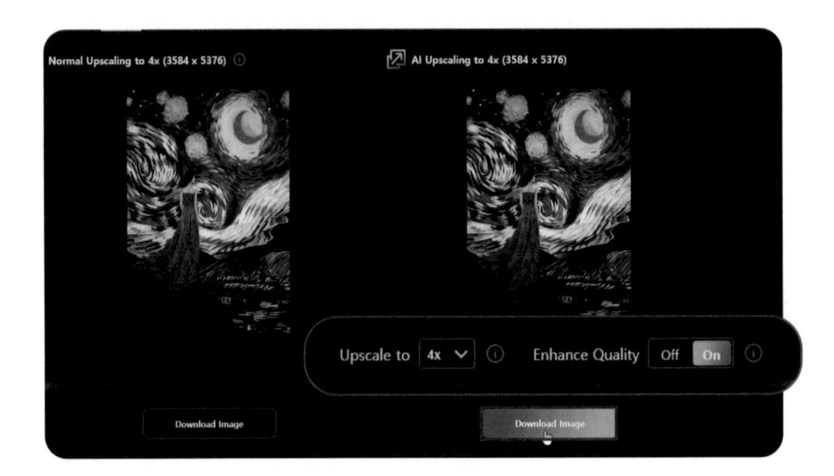

인쇄용 이미지로 사용하는 경우나 4K 사이즈의 이미지가 필요한 경우 업스케일을 통해 이미지를 확대하도록 합니다. 이미지를 확대하면 화질 손실은 생길 수밖에 없는데 업스케일 서비스는 이러한 화질 손실을 최대한 줄여주는 역할을 합니다.

13

개인 작업방 만들어서 작업하기

newbies 방은 여러 사람이 함께 이용하기 때문에 작업 내용을 확인하기 어렵습니다. 이럴 때는 나만의 작업방을 만들어서 작업하면 내 작업물만 나타나기 때문에 작업이 수월합니다. 여기서는 내 작업방을 어떻게 만드는지 알아보겠습니다.

1. 새로운 작업방을 만들기 위해서 [서버 추가하기]를 클릭합니다.

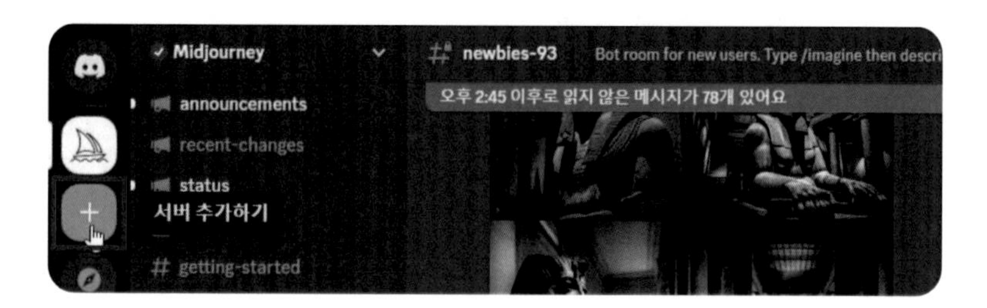

2. 서버 이름에 만들고 싶은 이름을 입력한 후 [만들기]를 클릭합니다.

3. 새 서버가 등록되면 왼쪽 메뉴에 추가된 서버 목록이 나타납니다.

4. 이미지를 생성하는 미드저니를 추가하기 위해서 [Midjourney]를 클릭한 후 메시지 목록에 있는 [Midjourney Bot]을 찾아서 클릭하여 [서버에 추가]를 클릭합니다.

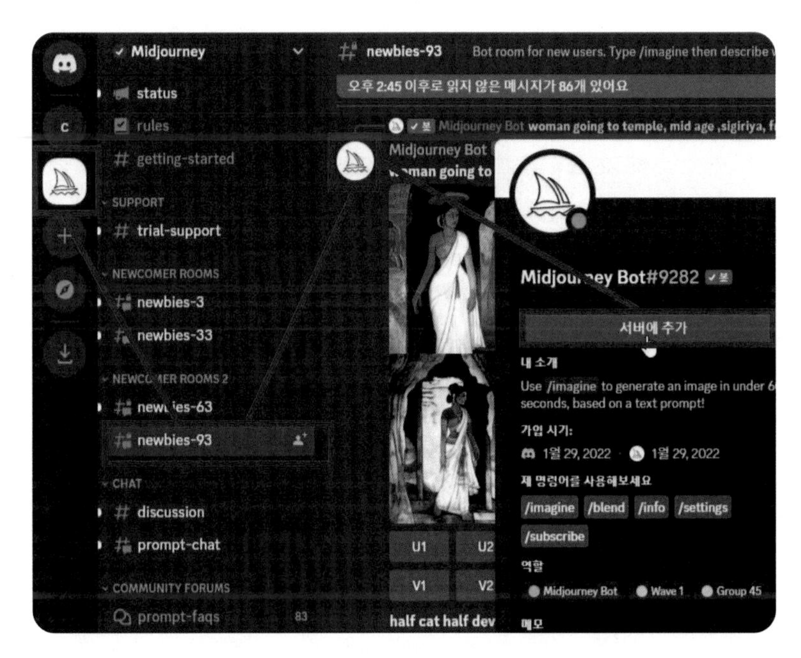

내가 만든 방에 이미지를 생성해주는 미드저니 봇을 친구로 추가해야만 이미지 생성을 할 수 있습니다.

5. [서버에 추가]의 내림 단추를 클릭한 후 내가 만든 서버 목록을 선택하고 [계속하기]를 클릭합니다.

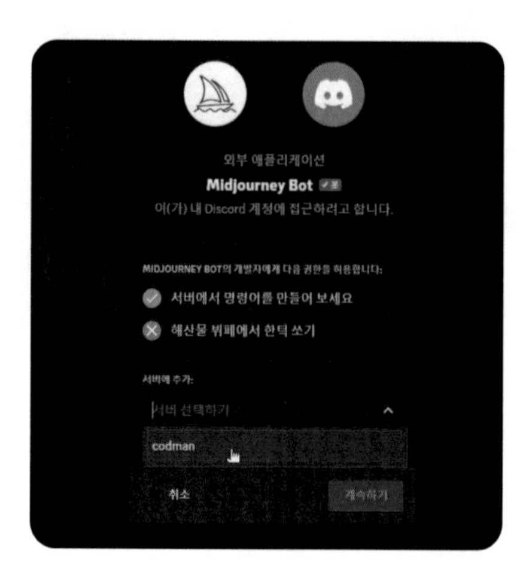

6. 몇 가지 승인 과정을 거치면 완료됩니다. 내 서버로 접속하면 [Midjourney Bot 님이 오셨어요.]라는 메시지를 볼 수 있습니다.

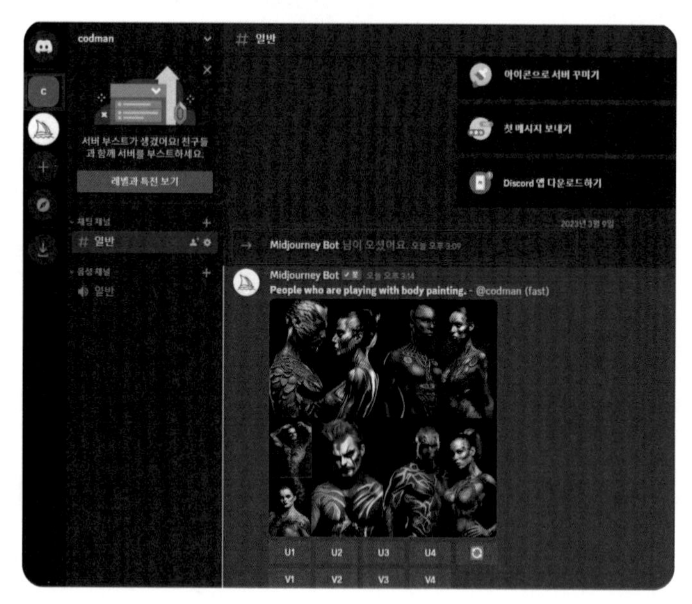

이 방에는 내가 만든 이미지만 나타납니다.

14

패스트 모드와 릴랙스 모드 사용하기

미드저니는 이미지 생성 속도에 따라 패스트 모드와 릴랙스 모드로 나눌 수 있습니다. 언제든지 모드를 변경할 수 있으며 변경된 모드를 다시 바꾸지 않는 이상 설정된 모드로 유지됩니다. 모드를 어떻게 바꾸는지 알아보겠습니다.

1. 프롬프트 창에서 '/'을 입력한 후 [/relax]를 선택한 후 Enter를 누릅니다.

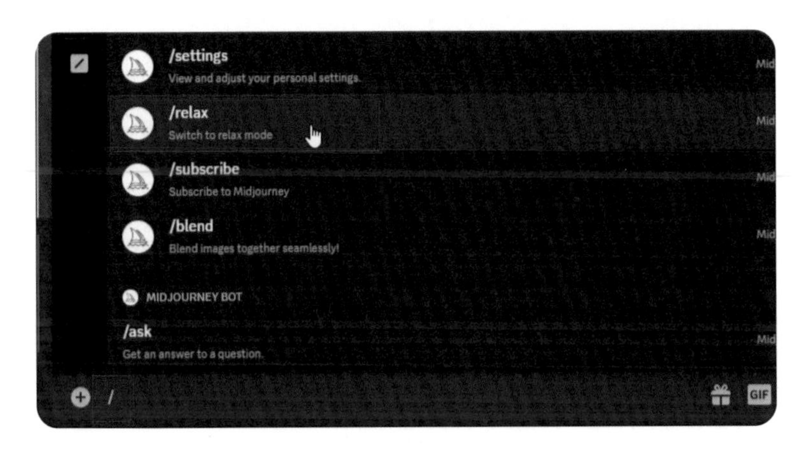

2. 처리 속도가 느린 릴랙스 모드로 변환되었다는 메시지가 나타납니다.

구독 서비스 중 스탠다드와 프로 플랜을 사용하는 경우 릴랙스 모드를 무료로 사용할 수 있습니다.

3. 프롬프트를 작성해서 이미지를 생성해 보면 평소보다 처리 속도가 느린 것을 알 수 있습니다. 사용 환경에 따라 같은 모드여도 속도 처리가 다르며 심할 때는 굉장히 느려질 수 있습니다.

4. 이번에는 프롬프트 창에서 '/'을 입력한 후 [/fast]를 택한 후 Enter 를 누릅니다.

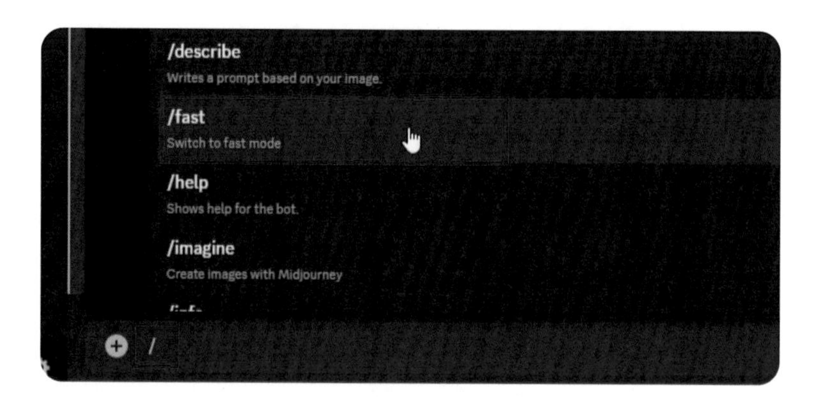

5. 패스트 모드로 변환되었다는 메시지가 나타납니다.

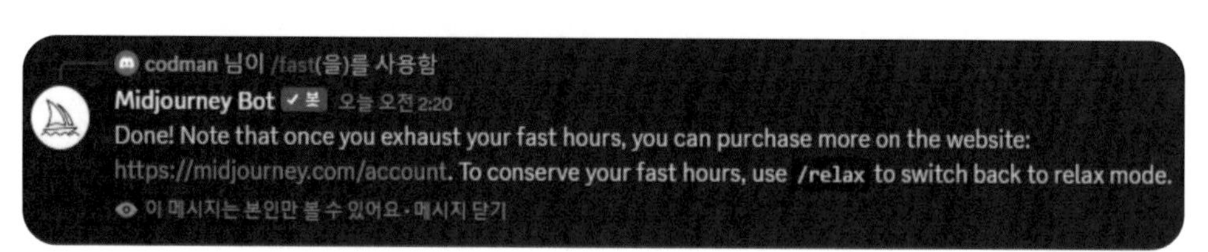

이미지 생성시 마지막으로 설정된 모드가 반영됩니다.

15

내 사진 업로드해서 아바타 만들기

미드저니에는 사진을 업로드해서 사진을 기반으로 텍스트로 사진을 리터치할 수 있습니다. 나만의 아바타를 만들 때 재미있게 사용할 수 있어요. 여기서는 인물 사진을 이용하여 애니메이션 캐릭터와 실사 이미지로 만들어 보겠습니다.

1. 프롬프트창에 있는 ⊕ 버튼을 클릭한 다음 [파일 업로드]를 클릭해서 내 PC에 저장되어 있는 사진을 선택합니다.

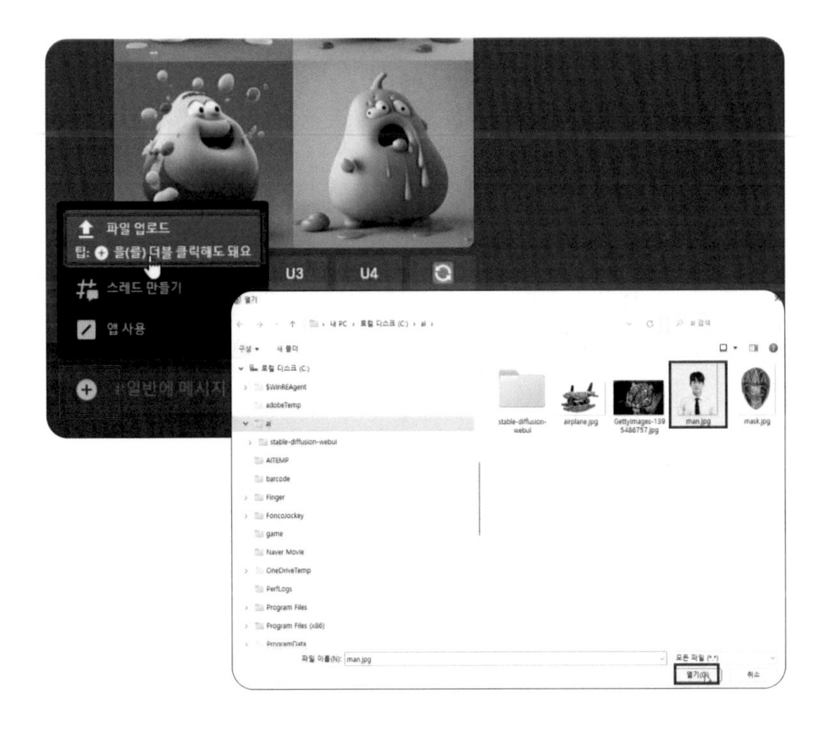

2. 사진이 나타나면 바로 Enter를 눌러 사진을 업로드하여 등록합니다. 사진을 선택하면 프롬프트 창 위에 사진이 표시되는데 이는 사진이 선택되었다는 표시이지 등록이 완료된 상태는 아닙니다. 반드시 Enter를 눌러 사진을 등록 완료해야 합니다.

3. 사진이 정상적으로 업로드되면 아까보다 큰 사진으로 나타납니다.

4. 이미지 프롬프트를 입력하기 위해 '/'를 입력하고 [/imagine prompt]를 선택합니다.

5. 사진을 'prompt' 위치까지 마우스로 드래그해서 사진 경로를 추가합니다. 또는 사진 클릭한 후 마우스 오른쪽 클릭한 다음 [이미지 경로를 저장]을 클릭한 후 'prompt' 다음에 커서를 위치하고 Ctrl + V 를 눌러 경로를 붙여 넣어도 됩니다.

e prompt https://cdn.discordapp.com/attachments/1083269515716087901/1083414515858

6. 이미지 경로 다음에 한 칸을 띄운 후 'as a cute 3d cartoon character'라고 입력하고 Enter 를 누릅니다.

269515716087901/1083414515858813009/man.jp g as a cute 3d cartoon character

7. 귀여운 캐릭터가 만들어집니다.

8. 이번에는 실사 이미지로 만들기 위해 앞에서와 똑같이 이미지를 업로드한 후 프롬프트를 다음과 같이 입력하고 Enter 를 누릅니다. 프롬프트는 이미지를 고급 실사 이미지로 만들 때 많이 사용하는 명령어입니다.

soft light, high fashion portrait, photo realistic, ultra realistic, hyper detailed, unreal engine 5, ultra photoreal, 8k

/imagine

prompt https://media.discordapp.net/attachments/1083269515716087901/1083648175539224626/man.jpg?width=609&height=774 soft light, high fashion portrait, photo realistic, ultra realistic, hyper detailed, unreal engine 5, ultra photoreal, 8k

9. 멋스러운 아바타 사진이 만들어 집니다.

16
이미지 합성하기

미드저니는 이미지를 합성하는 리믹스 모드를 제공합니다. 리믹스 모드는 생성한 이미지에서 [Make Variation]을 실행하여 이미지를 합성할 프롬프트를 입력해서 이미지를 변형시킬 수 있습니다. 이 기능을 이용하려면 리믹스 모드가 켜져 있어야 합니다.

1. 프롬프트 창에서 '/'을 입력한 후 [/prefer remix]를 선택하고 Enter를 누릅니다. 리믹스 모드가 켜졌다는 메시지가 나타납니다. 이미 리믹스 모드가 켜져 있을 때 해당 프롬프트를 실행하면 리믹스 모드가 꺼집니다.

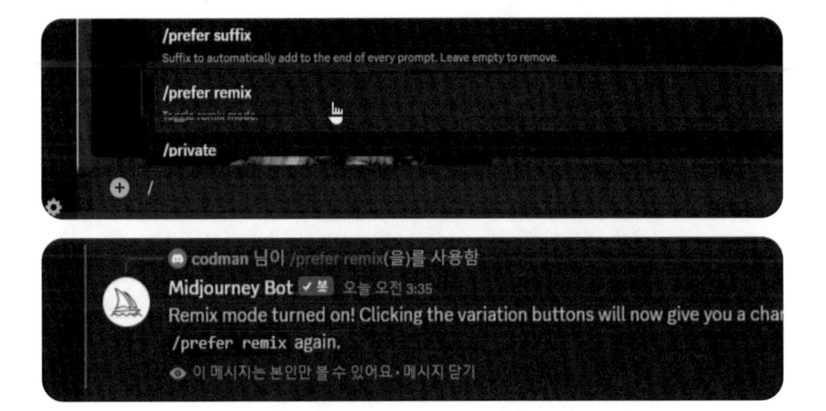

2. 프롬프트 창에서 '/'을 입력한 후 [/imagine prompt]를 선택하고 a pile of pumkins를 입력한 후 Enter를 누릅니다.

/imagine prompt a pile of pumkins

3. 이미지가 생성되면 마음에 드는 이미지의 [U1] ~ [U4] 중 해당 번호를 클릭해서 업스케일합니다.

4. 업스케일된 이미지의 [Vary(Strong)]을 클릭하면 나타나는 창에서 'vibrant illustrated stack of fruit'를 입력하고 [전송]을 클릭합니다.

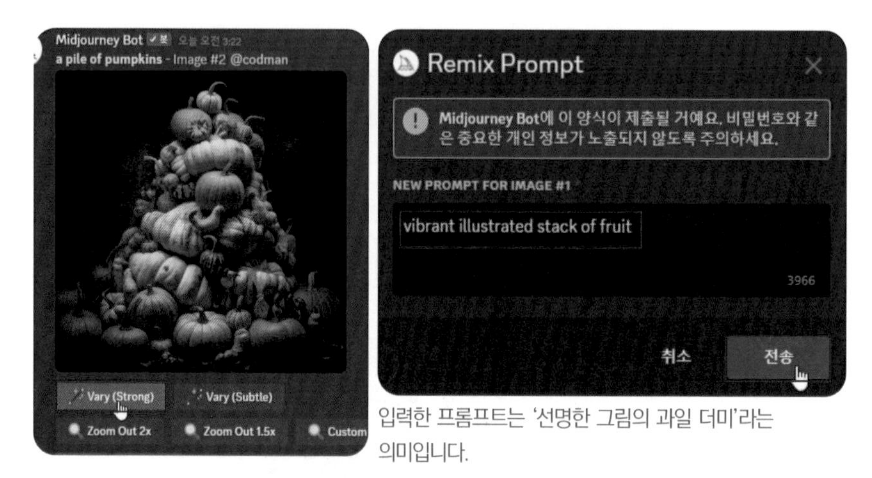

입력한 프롬프트는 '선명한 그림의 과일 더미'라는 의미입니다.

5. 호박 더미가 과일 더미의 그림으로 변경되었습니다.

이미지 합성은 기존의 이미지와 텍스트로 입력하는 적용할 모습과 서로 비슷해야 적합한 이미지가 만들어 집니다.

17

커스텀 줌으로 이미지 합성하기

앞에서 이미지를 업스케일한 후 줌 아웃 도구를 이용하는 방법에 대해서 알아보았는데 여기서는 사용자가 프롬프트를 입력해서 줌 기능으로 이미지를 합성해서 꾸밀 수 있는 [Custom Zoom] 기능에 대해서 알아보겠습니다. 이때 사용되는 줌 역시 줌아웃이고 줌 배율도 숫자로 파라미터 형식으로 입력해서 설정할 수 있습니다. 생성한 이미지를 액자에 넣는 작업을 할 때 이용할 수 있습니다.

1. 프롬프트 창에서 '/'을 입력해서 [/imagine prompt]를 선택하고 a landscape of Mount Everest를 입력한 후 Enter를 누릅니다.

2. 이미지가 생성되면 잘 나온 이미지를 골라 업스케일합니다. 업스케일 이미지가 나타나면 [Custom Zoom]을 클릭합니다.

3. [Zoom Out] 창이 열리면 입력되어 있는 프롬프트를 지우고 A framed picture on the wall --ar 1:1 --zoom 2을 입력한 후 [전송]을 클릭합니다.

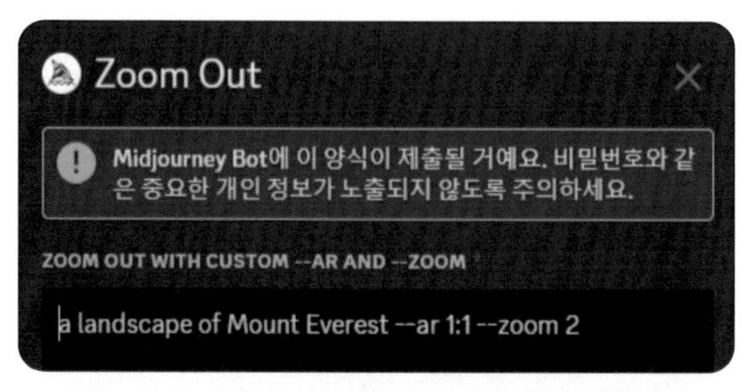

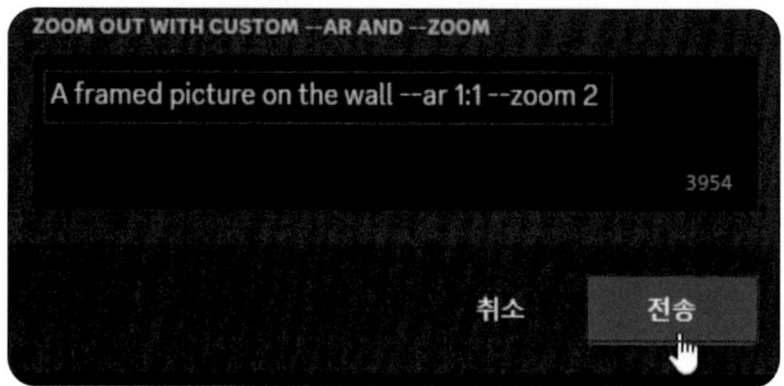

프롬프트 옆에 입력한 --ar은 화면 비율 파라미터로 가로와 세로 비율을 입력해서 지정할 수 있습니다. 그러나 가능한 기본값인 1:1을 유지해야 바른 이미지가 생성되는 편입니다. --zoom은 줌 아웃 비율로 2까지만 입력이 가능합니다.

4. 액자 안에 앞에서 만든 이미지가 삽입된 이미지가 생성됩니다.

18

인터넷 이미지 가져와서 꾸미기

미드저니는 인터넷에 있는 이미지를 불러와 처리할 수 있습니다. 여기서는 인터넷에 있는 디즈니랜드 이미지를 불러와서 십자수 스타일로 바꿔 보도록 하겠습니다.

1. 인터넷에서 작업하고 싶은 이미지를 고른 다음 마우스 오른쪽 클릭하고 [이미지 주소 복사]를 클릭합니다.

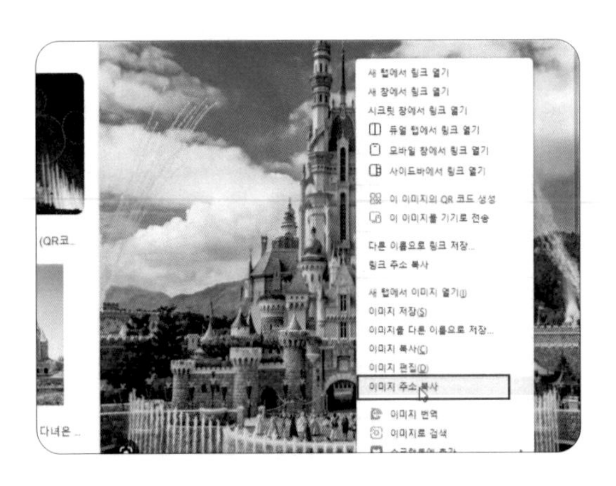

2. [Midjourney]에서 '/imagine prompt'를 입력하고 Ctrl+V 를 눌러 앞에서 복사한 이미지 경로를 붙여 넣습니다.

인터넷 상에 있는 이미지 중 불러오기가 되지 않는 경우가 있습니다. 이미지 경로에 파일 이름이 정확하게 표시되어 있는 경우엔 사용할 수 있지만 파일 이름이 없다면 사용할 수 없습니다.

3. 한 칸 띄운 다음 **cross stitch style castle** 을 입력한 후 Enter 를 누릅니다. cross stitch style castle는 십자수 모양의 성이라는 의미입니다. 만일 castle이라는 대상을 입력하지 않으면 다양한 요소가 합성되어 표시됩니다. 그러므로 대상을 정확히 명기합니다.

npt The prompt to imagine

/imagine prompt https://img.newspim.com/news/2020/11/24/2011241430238980.jpg cross stitch style castle

4. 성 이미지가 십자수 스타일로 바뀌었습니다.

19

두 개 이미지를 합성해서 꾸미기

미드저니로 /blend 명령을 사용해서 여러 장의 이미지를 업로드하여 이미지를 합성할 수 있습니다. 총 5장까지 이미지를 사용할 수 있습니다. 어떻게 이미지를 합성하는지 알아보겠습니다.

1. 프롬프트 창에 '/'를 입력하고 [/blend]를 선택합니다.

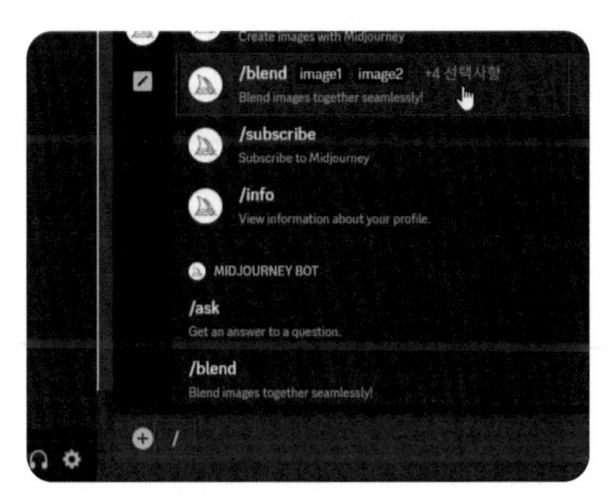

2. 두 개의 이미지 목록이 나타나면 이미지 목록을 클릭했을 때 나타나는 윈도우 탐색기에서 합성할 이미지를 골라서 클릭한 후 [열기] 버튼을 클릭합니다.

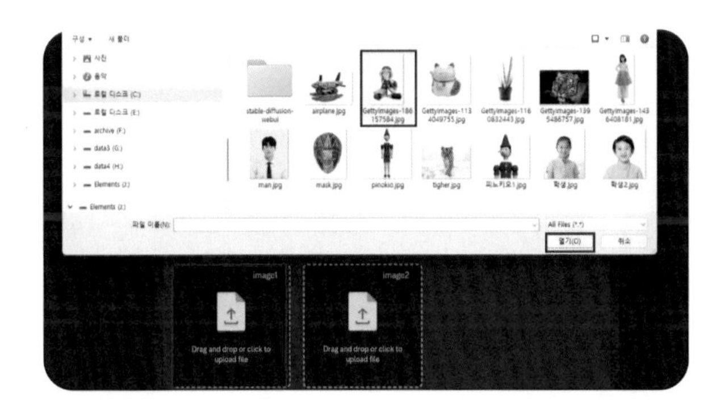

3. 같은 방법으로 두번째 이미지도 등록합니다.

4. 이미지가 등록된 영역 옆의 [더 보기]를 클릭하면 [옵션]이 열립니다.

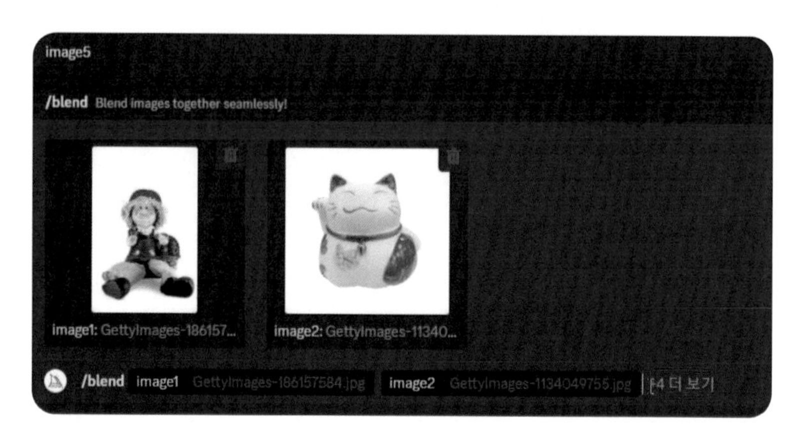

5. [dimensions] 항목을 클릭한 다음 [Portrait]를 선택합니다.
[Portrait]는 세로가 긴 이미지, [Square]는 정사각형, [Lanscape]는 가로가 긴 이미지를 만들어 줍니다.

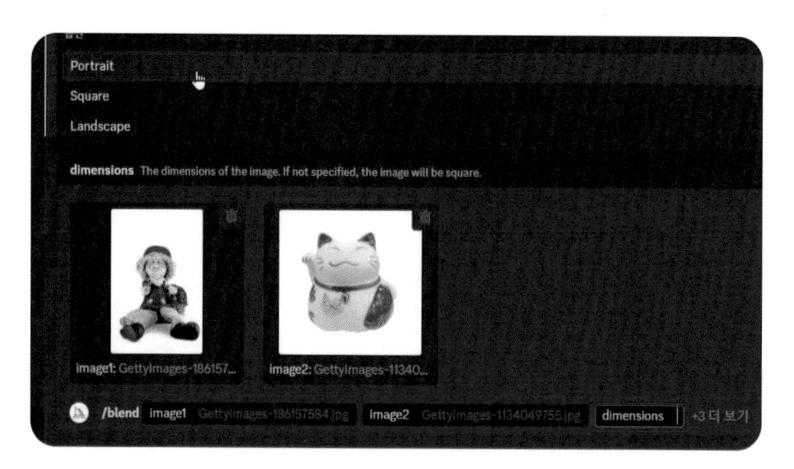

이미지를 더 추가하고 싶다면 [더 보기]를 클릭하면 나타나는 보기에서 [images3], [image4],[image5] 항목을 각각 클릭해서 3장의 이미지를 더 추가할 수 있습니다.

6. 프롬프트 창에서 이미지가 등록된 영역 옆을 클릭한 후 귀여운 느낌을 주기 위해서 'cute'를 입력하고 Enter 를 누릅니다.

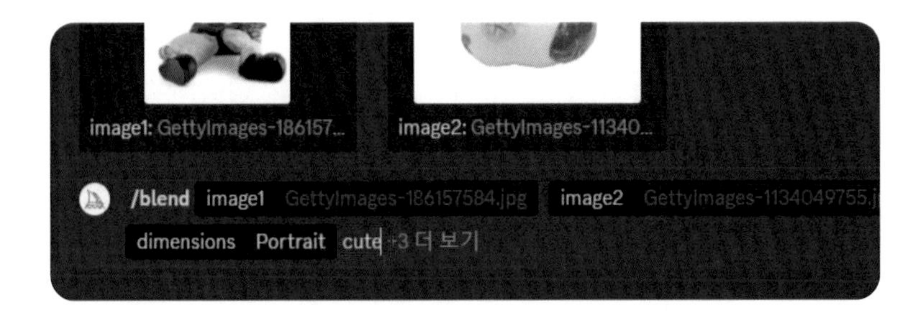

7. 두 이미지가 합성된 이미지가 생성됩니다.

미드저니로 만든 이미지는 항상 온전한 이미지만 나오는 것은 아닙니다. 손가락 형태가 잘못되었거나 일그러진 표정 등 이상한 이미지가 나올 수 있습니다.

20

미드저니 생성 오류 검토하기

프롬프트를 입력하고 이미지 만들기를 실행하면 프롬프트 창 위에 메시지 창이 나오는 경우가 있습니다. 메시지 창에 색상이 있는 띠로 경고 상태를 알려 주는데 노란색은 이미지 생성 진행은 되지만 문제가 있는 경우에 표시되고 빨간색은 문제가 있어 이미지 생성을 진행할 수 없음을 알려 줍니다. 여기서는 프롬프트를 작업할 때 자주 발생하는 경고 메시지에는 어떤 것들이 있는지 알아보겠습니다.

Job queued

사용하는 요금제에 따라 동시에 이미지 생성하는 개수가 정해져 있습니다. 만일 허용된 개수 이상의 작업을 명령했을 때 다음과 같은 메시지가 나타납니다. 이 메시지가 나타났다고 작업이 되지 않는 것은 아닙니다. 진행되고 있는 작업이 마무리되면 이어서 작업을 해줍니다.

미드저니의 불안전한 상태로 제대로 작업이 이루어지지 않을 때는 '걱정하지 마세요. 곧 이미지를 생성해 드릴게요'라는 내용의 메시지가 나타납니다. 다만 이러한 메시지가 나타났다면 이미지 생성하는 데 굉장히 오랜 시간이 소요되거나 어떠한 경우에는 작업이 되지 않기도 합니다.

codman 님이 /imagine(을)를 사용함

Midjourney Bot ✓봇 오늘 오전 2:17
Progress images have been disabled. Don't worry, the results will still be sent when it completes. (수정됨)

Invalid paramenter

프롬프트에 입력하는 내용 중 미드저니에서 제공하는 명령인 파라미터가 있습니다. 파라미터를 입력할 때 규칙대로 입력하지 않으면 나타나는 메시지입니다. 설명란에 오류가 발생한 이유를 자세하게 설명해줍니다. 설명을 참조하여 명령을 수정해서 문제를 해결합니다. 보통 띄어쓰기를 잘못해서 오류가 발생하는 경우가 많습니다. 파라미터는 '--' 기호와 함께 표시하는데 '--'를 입력한 후 띄어쓰기 없이 파라미터 명령을 입력하고 한 칸 띄운 다음 옵션값을 입력해야 합니다.

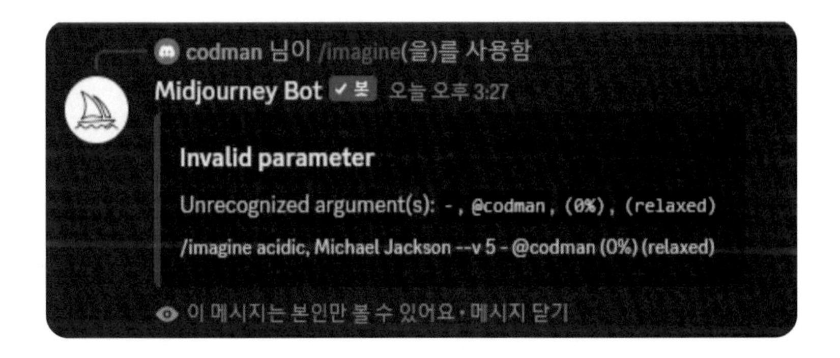

Banned prompt

미드저니는 선정적인 단어, 폭력적인 단어를 프롬프트로 입력하면 경고 메시지를 출력합니다. 'humen skin' 단어도 필터링할 정도로 매우 민감하게 반응합니다. 메시지 내용을 확인한 후 해당 단어를 다른 단어로 바꾸어서 진행하도록 합니다.

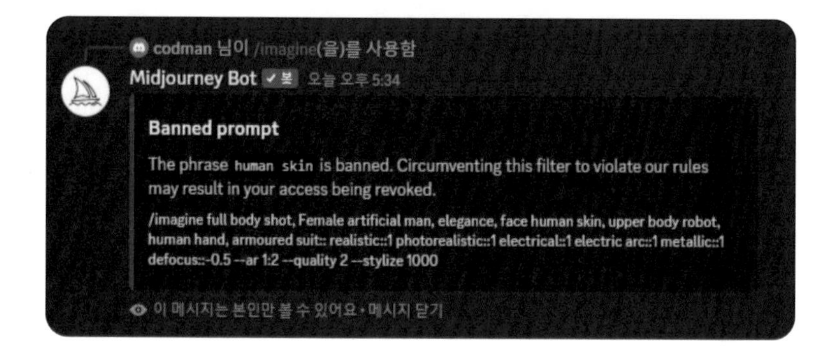

/imagine Amusement park, 60s, photograph

/imagine a woman whose hair is fluttering in the wind, lomography color 400 film

/imagine candypunk fashion, cinematic lighting, magic realism, auroracore

/imagine Personality boy, super detail, soft colors, soft lighting, anime, high detail, cinematic edge lighting

/imagine over head view, a motorbike biker racing down the road

step 2

프롬프트 파라미터

21

이미지를 제어하는 파라미터

/imagine 명령어 뒤에는 만들고 싶은 이미지를 표현하는 텍스트인 프롬프트를 입력합니다. 그리고 프롬프트 뒤에는 파라미터를 통해 이미지 사이즈를 변경하거나 미드저니 버전을 변경하거나 창의적인 이미지를 만들 확률을 높이게 하는 등 이미지를 제어할 수 있습니다.

파라미터는 하이픈을 두 번 입력해서 파라미터임을 정의하고 파라미터로 제시되는 명령어를 입력해서 표시합니다. 어떤 파라미터는 별도의 값 없이 사용하는 것도 있지만 어떤 파라미터는 값을 지정해서 사용하는 것도 있습니다.

파라미터를 입력할 때 주의할 점은 하이픈을 두 번 입력한 후 띄어쓰기 없이 명령어를 입력해야 한다는 것입니다. 그리고 그 뒤에 값을 입력해야 할 경우에는 한 칸 띄우고 입력하도록 합니다. 띄어쓰기가 잘못 입력되어 나타나는 오류가 많으니 주의하도록 합니다.

예 /imagine ~ --ar 2:3

/imagine 프롬프트 --파라미터

22

이미지 비율을 지정해 주는 ar 파라미터

프롬프트 뒤에 --aspect 또는 --ar를 입력하고 이미지의 가로·세로 비율을 입력해서 사진 비율을 지정할 수 있습니다. 1:1은 정사각형 크기, 3:2 또는 2:3은 일반적인 사진 비율이고 이외에 5:4, 7:4 비율이 있습니다. 소수점만 사용하지 않으면 규정 비율 이외에 다양한 비율을 사용해도 됩니다. 단 어떠한 경우 업스케일할 때 약간 비율이 변형될 수 있습니다. 많이 사용하는 비율은 영화 스크린 비율인 16:9입니다.

미드저니의 기본값은 1:1로 정사각형으로 이미지를 생성합니다. 비율을 지정하면 그만큼 표현할 영역이 넓어져 1:1 비율보다 표현력이 좋아집니다.

```
/imagine 프롬프트 --ar(aspect)
```

/imagine street style of a woman

/imagine street style of a woman --ar 3:2

/imagine street style of a woman --ar 5:4

/imagine street style of a woman --ar 16:9

23

샘플 이미지를 다르게 만들어 주는 Chaos 파라미터

미드저니는 4개의 이미지를 샘플로 만들어 주는데 Chaos는 이 4가지의 이미지를 얼마나 다르게 만들지를 결정합니다. 이 값으로 0~100까지 입력이 가능하며 수치가 높을수록 4개의 이미지의 스타일을 서로 다르게 만들어 줄 확률을 올려 줍니다.

Chaos를 입력하지 않으면 Chaos 0이 기본값으로 설정되고 이때는 4개의 이미지를 서로 비슷하게 만들어 줍니다.

/imagine 프롬프트 --chaos 숫자

왼쪽은 /imageine unicorn 명령을 이용해서 만들었고 오른쪽은 /imageine unicorn --chaos 100 으로 설정해서 만들었습니다. 오른쪽에서 제각기 다른 스타일로 4개의 이미지가 만들어진 것을 확인할 수 있습니다.

24

특정한 내용을 나오지 않게 해주는 no 파라미터

no 프롬프트는 결과물에 나오지 않았으면 하는 내용을 적으면 표시되지 않게 해줍니다. 예를 들어 결과물에 원치 않는 텍스트가 나오는 경우가 있는데 텍스트가 나오지 않게 하고 싶다면 --no text 라고 입력합니다. no라고 해서 완전히 제거해주지는 않습니다. 보일 확률이 낮아지는 수준임을 명심하세요.

/imagine 프롬프트 --no 프롬프트

왼쪽은 /imageine Toullip flower bed 명령을 이용해서 만들었고 오른쪽은 --no red 파라미터를 추가해서 만들었습니다. 오른쪽이 더 붉은 기가 적은 것을 볼 수 있습니다.

25

이미지 퀄리티를 설정하는 q 파라미터

q 또는 quality는 결과물의 화질을 지정하는 파라미터입니다. 퀄리티 값으로 .25, .5, 1을 입력할 수 있으며 기본값은 1입니다. 수치가 높을수록 퀄리티는 높아지는데 퀄리티가 높아지는 만큼 처리 속도는 느려집니다. q .25는 퀄리티를 25%로 낮춰주며 그만큼 속도는 4배 빠르고 q .5는 퀄리티를 50% 낮춰주지만 속도는 2배 빠릅니다. 미드저니는 이미지 생성에 걸리는 시간으로 사용료를 계산하므로 테스트 목적으로 생성시 퀄리티를 낮추면 사용료를 아낄 수 있습니다. 퀄리티는 이미지의 디테일의 정도를 말하며 이미지의 해상도에는 영향을 끼치지 않습니다.

/imagine 프롬프트 --q .25, .5, 1

/imagine woman looking at skyline from window 프롬프트에 왼쪽은 기본값, 가운데는 --q 5, 오른쪽은 --q .25 파라미터를 적용했습니다. 오른쪽으로 갈수록 디테일이 떨어지지만 처리 속도는 훨씬 빠른 것을 확인할 수 있습니다.

26

이미지 고유 번호를 의미하는 Seed 파라미터

미드저니로 이미지를 생성할 때마다 동일한 이미지가 만들어지지 않고 매번 다른 이미지가 만들어 집니다. 이는 생성되는 여러 가지 값들을 랜덤하게 돌리기 때문입니다. 만일 생성한 이미지가 마음에 들어 같은 형태의 이미지로 만들고 싶다면 그 이미지의 랜덤값을 알아서 이미지에 적용하면 될 거예요. 이 랜덤값을 시드값이라고 합니다. Seed 파라미터를 이용하면 이러한 시드값을 지정할 수 있습니다. 마음에 드는 이미지의 랜덤값인 시드값을 구한 후 새로 만들 이미지에 Seed 파라미터로 시드값을 지정하면 비슷한 이미지를 생성할 수 있습니다.

/imagine 프롬프트 --seed 정수

이미 생성된 이미지의 시드값을 찾아 앞으로 생성할 이미지에 시드값을 적용해서 이미지를 만들어 보겠습니다.

1. 시드값을 알기 위해서 이미 생성된 이미지 오른쪽 상단에 위치해 있는 [반응 추가하기] 아이콘을 클릭합니다.

2. 이모티콘 중 엽서 모양의 이모티콘을 찾아서 클릭합니다.

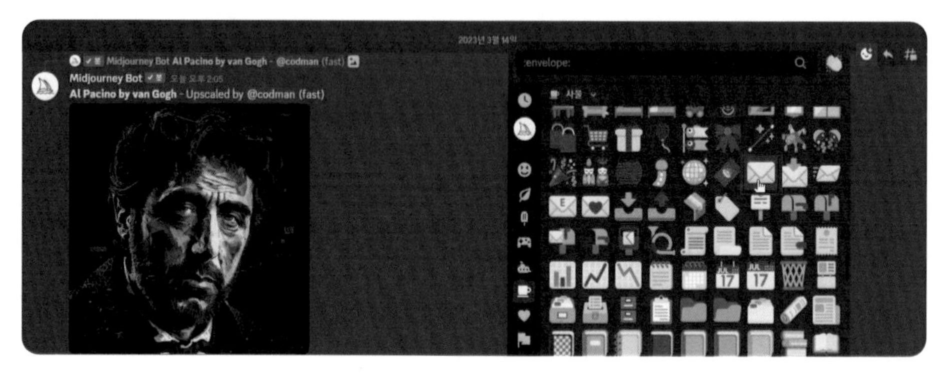

/imagine Al Pacino by van Gogh : 알파치노를 반 고흐 스타일로 그려줘.

3. 상단에 위치해 있는 [멤버 목록 표시하기] 아이콘을 클릭하면 나타나는 목록에서 [Midjourney Bot] 목록을 오른쪽 클릭한 후 [메시지]를 클릭합니다.

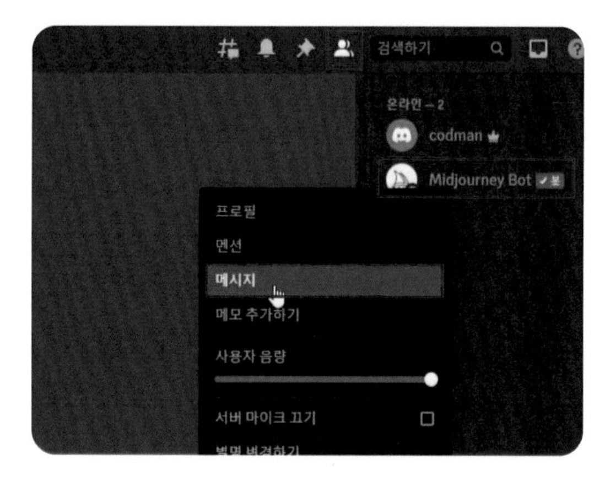

4. 메시지 목록이 나타납니다. 잠시 후 선택했던 게시물이 나타나고 Job ID와 Seed 정보가 나타납니다. Seed 숫자를 기록해 둡니다.

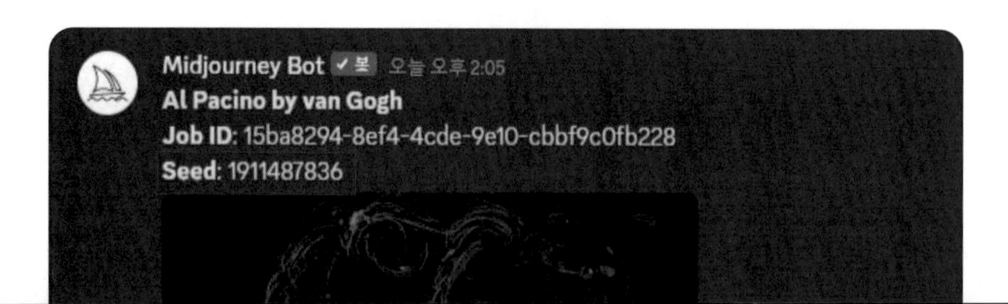

5. 새로 만들 이미지의 프롬프트를 입력하고 앞에서 만든 이미지와 비슷한 느낌을 주기 위해서 Seed 정보를 파라미터로 추가해서 기록합니다.

```
/imagine prompt steve jobs by van Gogh --seed 1911487836
```

/imagine steve jobs by van Gogh –seed 시드 번호
스티브 잡스를 시드 번호에 사용된 스타일에 맞게 반 고흐 스타일로 그려줘.

6. 시드 번호에 사용된 이미지와 비슷한 분위기의 이미지가 생성됩니다.

반 고흐 스타일이 적용된 이미지의 시드 번호를 가져온다고 반 고흐 스타일이 이미지에 적용되지 않습니다. 시드는 이미지에 사용된 구성과 색감을 가져오는 것이므로 반 고흐 스타일과 같은 명령은 프롬프트로 적어야 합니다. 또한 완전히 동일한 구성과 색감을 가져오는 것도 아닙니다. 단지 확률이 높아지는 것이므로 이미지 생성을 여러번 실행하면서 적당한 결과물을 골라야 합니다.

27

스타일을 강조하는 s 파라미터

이미지에 스타일을 강조할 때 사용하는 파라미터입니다. 값은 0~1000까지 입력이 가능하며 기본값은 100입니다. 의도적으로 스타일을 강조하거나 반대로 스타일을 줄이고 싶을 때 사용합니다. 결과물을 비교해 보면 수치를 낮추면 디테일이 단순해지고 장식 요소가 적어지는 반면 수치를 높이면 디테일이 많아지고 장식 요소도 많아지는 것을 볼 수 있습니다.

/imagine 프롬프트 --s 숫자

가운데는 /imageine Al Pacino cyber punk 명령을 이용해서 기본값으로 만들었고 왼쪽은 --s 10, 오른쪽은 --s 1000 파라미터를 추가해서 만들었습니다. 오른쪽으로 갈수록 장식 요소가 많아진 것을 볼 수 있습니다.

28

애니메이션 스타일로 만들어 주는 niji 파라미터

niji는 이미지를 애니메이션 스타일로 만들어 주는 파라미터입니다. niji는 미드저니와 Spellbrush niji와 협력해서 만든 것으로 애니메이션 및 일러스트레이션 스타일을 제작해줍니다. 이러한 효과를 연출하려면 프롬프트에 --niji라고 작성해줍니다. niji는 현재 1부터 5버전까지 나온 상태입니다. 가장 최신 버전인 5를 사용하려면 --niji 5라고 작성해주면 됩니다.

/imagine 프롬프트 --niji 5

왼쪽은 /imagine puppy 명령을 이용해서 강아지를 만들도록 하였고 오른쪽에는 --niji 5 파라미터를 추가하였습니다. 왼쪽은 현실적인 강아지 이미지가 만들어진 반면 오른쪽은 귀여운 애니메이션 느낌의 이미지가 만들어졌습니다.

niji 파라미터는 좀 더 다양한 옵션을 제공합니다. 귀여운 만화 효과를 만들어 주는 --style cute 파라미터와 표현력을 높여주는 --style expressive 파라미터가 있습니다. 단, 이 효과는 --niji 5와 함께 사용해야 합니다. 즉 프롬프트에 --style cute --niji 5를 입력하거나 --style expressive --niji 5를 입력해야 합니다.

만일 --niji 5를 수시로 사용한다면 /setting을 입력해서 세팅 화면으로 이동한 다음 [Niji version 5]를 체크합니다. 이 모드에 체크하면 --niji 5를 입력하지 않아도 되지만 모든 동작이 niji 5로 실행됨으로 niji 5를 자주 사용하지 않는다면 [Niji version 5]에 체크하지 않는 편이 좋습니다.

왼쪽은 /imagine puppy --style cute --niji 5를 입력했고, 오른쪽은 /imagine puppy --style expressive --niji 5를 입력했습니다. 왼쪽은 귀여운 느낌이 더 살아있고 오른쪽은 표현력이 좋아진 것을 알 수 있습니다. 두 결과 모두 --niji 5 하나만 입력했을 때보다 퀄리티가 좋아졌습니다.

29

미드저니 버전을 변환하는 v 파라미터

미드저니는 제작 단계에 따라 버전을 가지고 있습니다. 미드저니는 버전은 계속해서 업데이트되고 있으며 1, 2, 3, 4, 5 순으로 넘버링되고 있습니다. 적은 업데이트가 이루어진 경우에는 5.1, 5.2 처럼 소수점으로도 업데이트되기도 합니다.

버전이 높을수록 섬세하고 표현력이 우수하지만 각 버전마다 지원하는 명령이 조금씩 다르고 각자의 특징을 가지고 있기 때문에 의도적으로 이전 버전으로 변경해서 사용하기도 합니다. 추상적인 이미지를 만들고 싶을 때는 오히려 버전을 낮게 설정하는 것이 좋을 수도 있습니다.

/imagine 프롬프트 --v(또는 version) <1, 2, 3, 4, 5>

첫번째 이미지는 /imagine an astronaut exploring the moon --ar 16:9 명령을 이용해서 달 탐사하는 장면으로 만들었습니다. 두번째 이미지는 --v 5, 다음은 --v 4, --v 3, --v 2, --v 1 파라미터를 추가하였습니다. 버전이 높을수록 사실적인 표현이 높아지고 버전이 낮을수록 이미지 표현이 추상적인 것을 볼 수 있습니다.

v 5.2

v5

v4

v3

v2

v1

버전별로 비교해보면 버전이 높을수록 이미지를 더 사실적으로 표현하고 있는 것을 확인할 수 있습니다. 그럼에도 불구하고 버전을 변경하는 파라미터가 존재하는 이유는 버전별로 특징이 있기 때문입니다. 의도적으로 투박하고 추상적인 이미지를 만들기에는 오히려 예전 버전이 효과적입니다. 버전 4까지는 현실적인 이미지라면 버전 1~3은 매우 추상적인 이미지임을 알 수 있습니다. 버전별로 다양하게 바꿔 작업해보며 나에게 맞는 스타일을 찾아 보세요.

30

독특한 이미지를 만들어 주는 test 파라미터

test는 독특한 이미지를 만들 때 주로 사용합니다. 이 파라미터는 이미지를 불러오는 경우엔 사용할 수 없으며 텍스트로 이미지를 생성할 때 이용할 수 있습니다. 또한 기본 이미지 비율보다는 2:3, 3:2 비율일 때 더 좋은 결과물을 얻을 수 있습니다. 샘플 제작 개수도 기존의 4장이 아닌 2장만 만들어 주고 비율을 변형하면 1장만 만들어 줍니다. test 파라미터는 creative 파라미터와 함께 이용하면 좀 더 독특한 이미지를 만들 수 있습니다. test보다 사진처럼 사실적으로 표현해주는 testp 파라미터도 있습니다.

/imagine 프롬프트 --test --creative
/imagine 프롬프트 --tesp --creative

첫 번째 이미지는 /imagine Umbrella 명령을 이용해서 우산 이미지를 생성해 보았습니다. 미드저니답게 사실적이면서도 창의적인 이미지가 만들어졌습니다. 두 번째와 세 번째 이미지는 test와 creative 파라미터를 추가해서 예술적인 작품으로 만들어 보았습니다. 특히 testp 파라미터를 추가한 네 번째 이미지는 사진 작품처럼 보이는 것이 인상적입니다.

--test 추가

--test --creative 추가

--testp 추가

31

원하는 생성 단계까지만 만들어 주는 stop 파라미터

미드저니로 이미지를 생성해보면 이미지 생성 단계를 10%, 20%…처럼 퍼센트로 표시해줍니다. 당연히 100%로 생성을 완료해야 멋진 이미지가 만들어지지만 추상적이거나 몽환적인 이미지를 만드는 등 특정한 목적이 있다면 60% 정도 진행되었을 때 원하는 이미지가 나오는 경우도 있습니다. 이와 같이 이미지 생성 중 원하는 진행 단계까지만 만들어주는 파라미터가 바로 stop입니다. stop 다음에 원하는 진행 단계를 숫자로 입력하면 이미지 생성을 입력한 단계까지만 진행해 줍니다.

/imagine 프롬프트 --stop 숫자

/imagine a sunset sky --stop 60 명령을 이용해서 노을 장면을 이미지로 생성해 보았습니다. stop 60 파리미터를 입력하여 60%만 생성해서 진행한 장면으로 전반적으로 이미지가 완성되지 않아 뿌옇게 보이지만 몽환적인 느낌을 주는 작품이 만들어졌습니다.

32

이미지 타일을 만들어주는 tile 파라미터

미드저니 v5에는 타일을 만들어 주는 파라미터가 추가되었습니다. 프롬프트 내용을 타일처럼 나열해주는 기능으로 배경 이미지로 사용하기 좋은 기능입니다. 이 기능은 버전 5에서 지원하기 때문에 세팅에서 버전 5를 등록해두거나 --v 5를 추가해서 사용해야 합니다.

/imagine 프롬프트 --tile

왼쪽은 /imagine floral design, flower patterns --tile 명령을 이용해서 만들었고 오른쪽은 /imagine Christmas decorations --tile 명령을 이용해서 만들었습니다.

33

애니메이션을 만들어주는 video 파라미터

video 파라미터를 이용하면 이미지를 애니메이션을 만들 수 있습니다. 애니메이션은 10초 이내로 이미지 생성 단계를 순서대로 보여주는 형태입니다. 제작된 동영상은 미드저니 메시지를 통해 Mp4 파일 형식으로 다운로드 받을 수 있습니다. 이 기능은 버전 1, 2, 3에서만 동작하므로 --v 3 파라미터를 지정해야 합니다.

/imagine 프롬프트 --video --v 3

1. [Midjourney]에서 '/imagine prompt'를 선택하고 Psychedelic, greek mythology --video --v 3를 입력하고 Enter를 누릅니다.

/imagine prompt simson character --tile

2. 이미지가 생성되면 [반응 추가하기] 아이콘을 클릭한 다음 엽서 아이콘을 클릭합니다.

3. 상단에 위치해 있는 [멤버 목록 표시하기] 아이콘을 클릭하면 나타나는 목록에서 [Midjourney Bot] 목록을 오른쪽 클릭한 후 [메시지]를 클릭합니다.

4. 메시지 목록에 동영상 목록이 나타납니다. 재생을 클릭해서 동영상을 확인합니다.

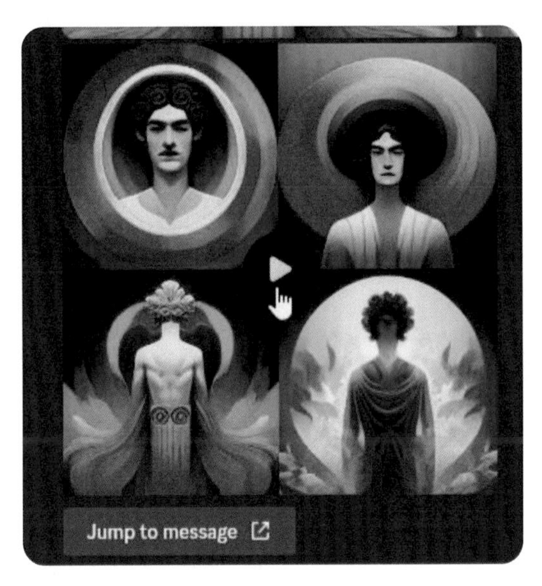

비디오는 이미지가 생성된 상태에서 제대로된 동영상이 만들어집니다. 업스케일을 실행한 상태에서도 동영상이 만들어지지만 만족스러운 동영상 효과는 얻을 수 없습니다.

5. [Video] 목록이 링크를 오른쪽 클릭하고 [다른 이름으로 링크 저장]을 클릭해서 동영상을 다운로드 받을 수 있습니다.

34

입력한 대로 생성해 주는 RAW

미드저니는 사용자가 입력한 프롬프트 내용에 충실하게 반영하지만 더욱 멋지게 만들기 위해서 임의로 효과를 넣어줍니다. 이 기능 덕분에 대충 입력해도 멋진 이미지를 만들어 냅니다. 그런데 어떠한 경우에는 사용자가 입력한 내용만 반영하는 것이 좋을 때도 있습니다. 이러한 요구를 반영하여 미드저니 버전 5.1에는 RAW 기능이 추가되었습니다. --style raw 파라미터를 입력하면 사용자가 입력한 프롬프트만 충실하게 반영해서 이미지를 만들어 줍니다. 이 기능은 미드저니 버전 5.1 이상에서 동작합니다.

/imagine 프롬프트 --style raw --v 5.1

왼쪽은 /imagine a lion standing on a cliff 명령을 이용해서 만들었고 오른쪽은 --style raw --v 5.1을 추가해서 만들었습니다. 왼쪽은 붉은색 배경색이 들어가는 등 멋진 효과가 연출되어 있지만 오른쪽은 있는 그대로의 모습으로 연출되어 있습니다.

35

파라미터 커스텀하기

여러 가지 파라미터를 자주 사용하는 경우 일일이 파라미터를 입력하기가 번거롭습니다. 이러한 경우 prefer option 명령을 이용하여 하나의 이름으로 묶을 수 있습니다. 언제든지 묶은 이름을 추가하거나 삭제할 수 있습니다. 파리미터를 자주 사용하는 경우에 매우 유용한 기능이므로 잘 숙지해 둡니다.

● 여러 개 파라미터를 한 개의 이름으로 등록하기

/prefer option ~ value 명령을 이용하여 testp와 ar 파라미터를 묶어서 st라는 이름으로 등록한 후 st 이름으로 이미지를 생성해 보겠습니다.

/prefer option 이름 value 파라미터 목록

1. 프롬프트 창에 '/'를 입력하면 나타나는 목록에서 [/prefer option set] 목록을 클릭합니다.

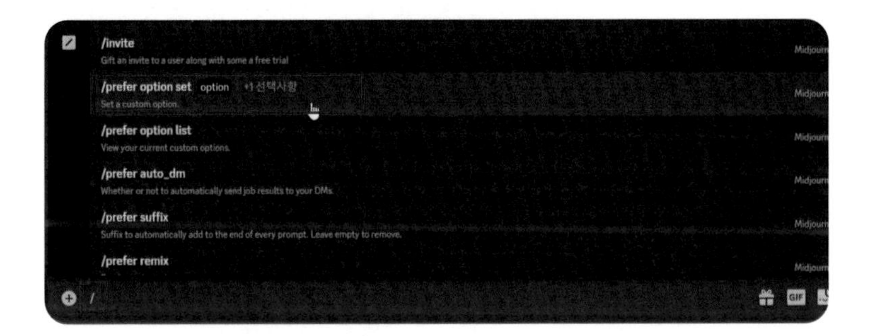

2. 파라미터를 등록할 임의의 이름 'st'를 입력합니다.

3. 방향키로 오른쪽으로 커서를 이동하면 나타나는 목록에서 [value]를 클릭합니다.

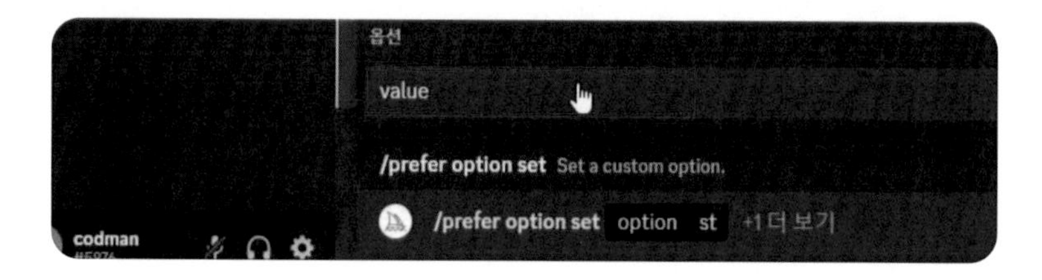

4. 등록하고 싶은 파라미터를 입력하고 Enter 를 누르면 입력한 'st' 이름으로 등록됩니다.

5. /imagine Spider-Man running around the building --st라고 프롬프트를 입력해서 실행해 봅니다.

6. testp와 4:3 화면 비율이 적용된 이미지가 생성됩니다.

● 사용자가 정의한 목록 확인하기

/prefer option list 명령을 이용하여 사용자 정의로 등록한 목록을 확인하는 방법에 대해서 알아보겠습니다.

/prefer option list

1. 프롬프트 창에 '/'를 입력하면 나타나는 목록에서 [/prefer option list] 목록을 클릭합니다.

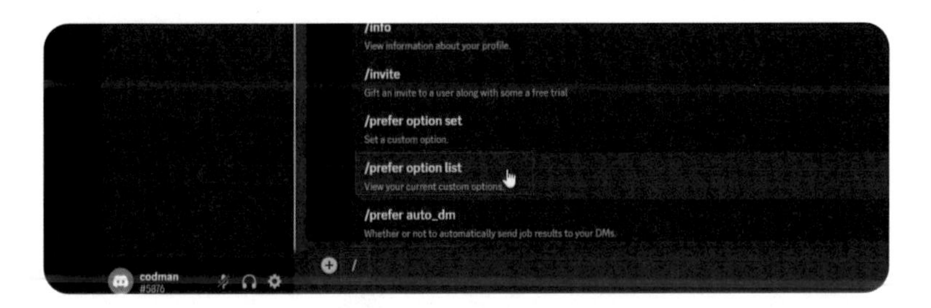

2. 잠시 후 사용자 정의로 등록되어 있는 목록들이 나타납니다.

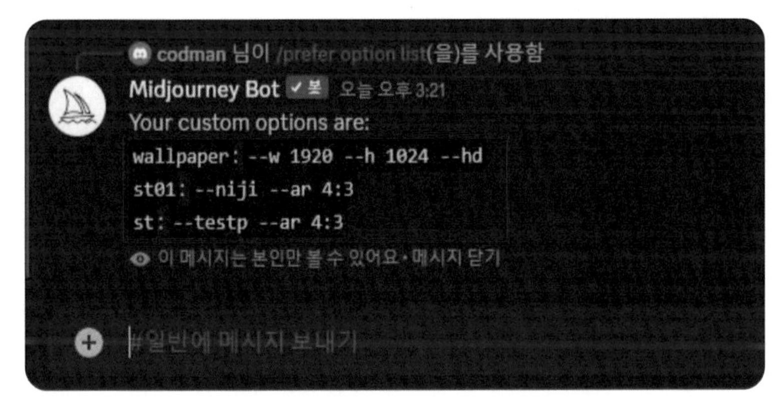

wallpaper, st01, st는 임의로 등록한 이름이고 이름 우측에는 해당 이름으로 등록되어 있는 파라미터 내용이 적혀있습니다.

● 사용자 정의한 목록 삭제하기

/prefer option list 명령을 이용하여 사용자 정의로 등록한 목록을 확인하는 방법에 대해서 알아보겠습니다.

/prefer option 삭제할 이름

1. 프롬프트 창에 '/'를 입력하면 나타나는 목록에서 [/prefer option set] 목록을 클릭한 다음 프롬프트 창에 삭제할 이름을 입력하고 Enter를 누릅니다.

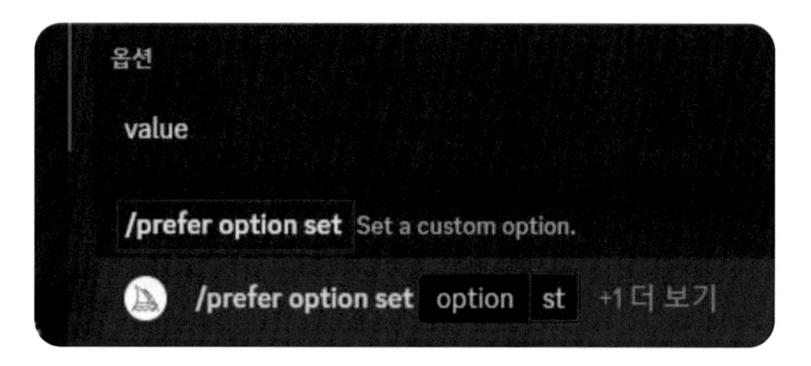

2. 삭제되었다는 메시지가 나타납니다.

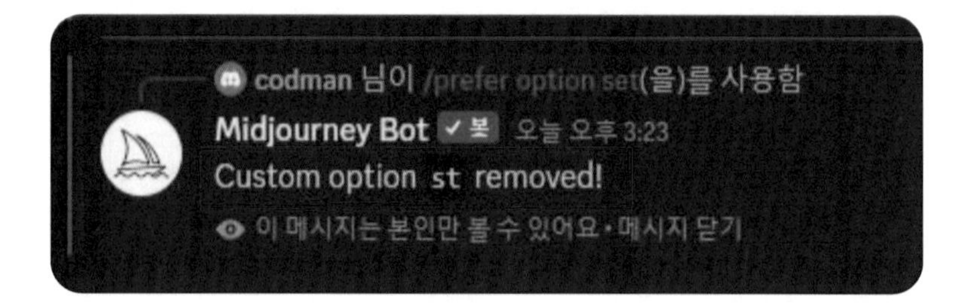

36

동시에 두 개의 프롬프트 실행하기

한 번의 프롬프트 입력으로 다른 형태의 이미지 두 장을 만드는 방법이 있습니다. 프롬프트 작성시 이런 형태와 저런 형태 모두 만들고 싶을 때가 있을 거예요. 이때 만들고 싶은 두 가지 프롬프트 단어를 괄호로 묶어주면 됩니다. 예를 들어 프롬프트에 {A, B}라고 입력하면 프롬프트 A와 프롬프트 B가 적용된 두 가지 이미지가 생성됩니다.

/imagine 프롬프트 {A, B}

무도회 장면을 담은 흑백 사진과 영화 스타일 사진 두 가지를 하나의 프롬프트만 입력해서 만들어 보겠습니다.

1. 프롬프트 창에 '/'를 입력하고 [/imagine prompt]를 선택하고 a masquerade ball, {monochromatic, cinematic lighting} 입력하고 Enter를 누릅니다.

/imagine prompt a masquerade ball, {monochromatic, cinematic lighting}

2. 두 개의 이미지를 생성할지 묻는 메시지가 나타나면 [YES]를 누릅니다.

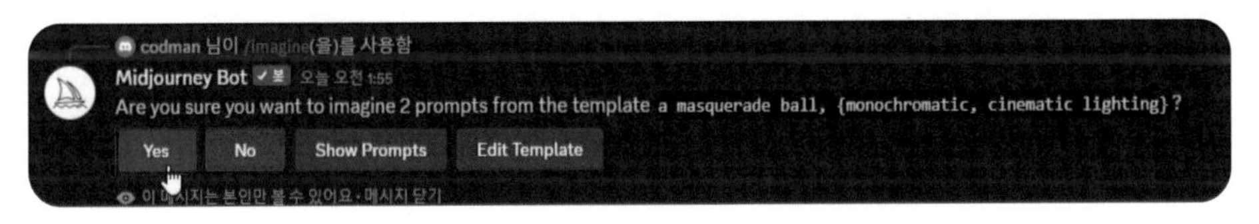

3. 잠시 후 a masquerade ball, monochromatic 프롬프트가 적용된 이미지와 a masquerade ball, cinematic lighting 프롬프트가 적용된 이미지가 만들어집니다.

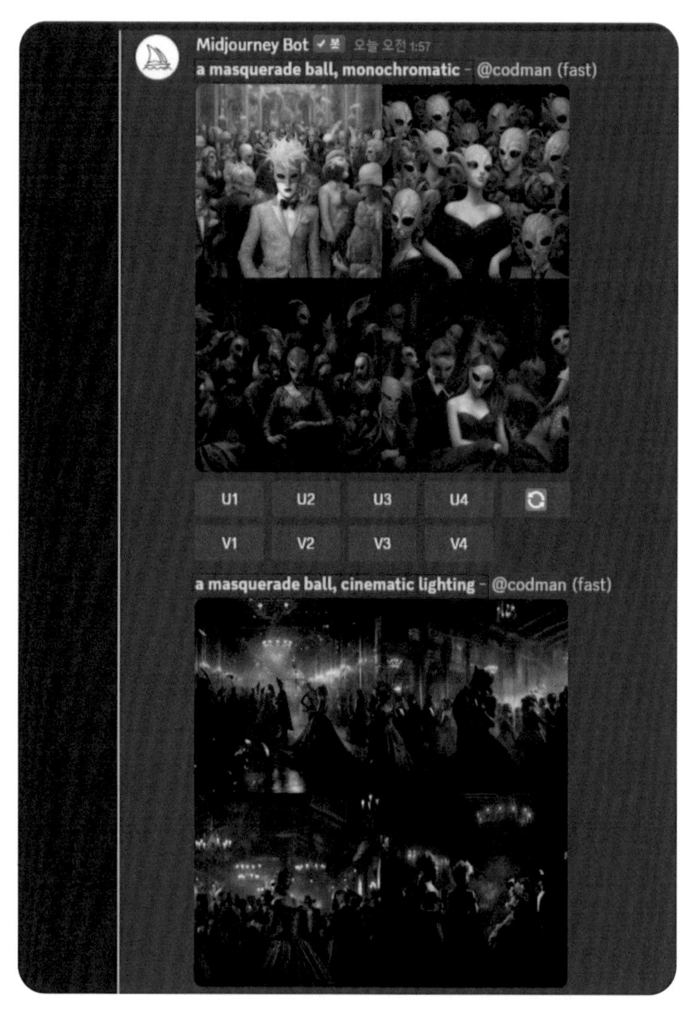

파라미터도 같은 방법으로 괄호로 묶어서 이미지를 생성할 수 있습니다. 예를 들어 이미지 비율을 3:2와 16:9 두 가지로 만들고 싶다면 /imagine 프롬프트 {--ar 3:2, --ar 16:9}라고 입력해주면 됩니다.

37

미드저니 세팅값 조절하기

미드저니에서 제공하는 옵션 중 자주 사용되는 되는 옵션을 고정시켜주는 기능이 있습니다. [/settings] 명령을 내린 후 활성화 할 옵션을 클릭해서 고정시키면 됩니다. 언제든지 다시 실행해서 고정된 값을 해제할 수 있습니다.

1. 프롬프트 창에 '/'를 입력하고 [/settings]를 선택하고 Enter 를 누릅니다.

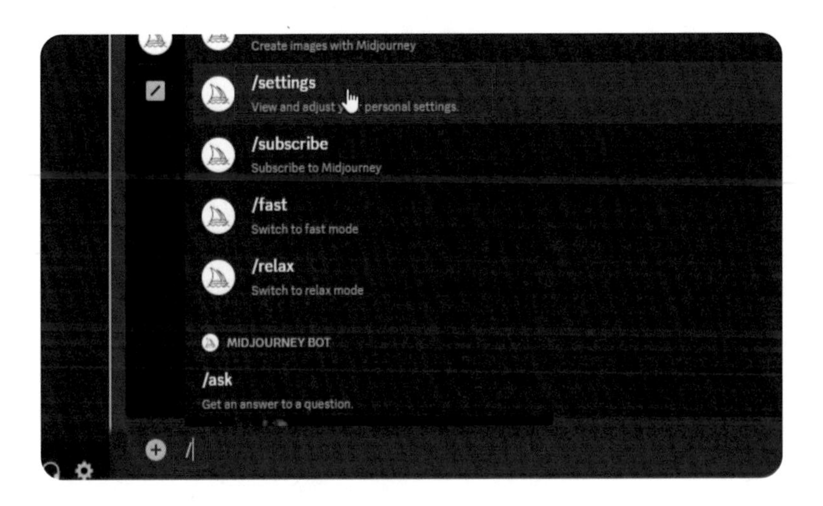

2. 설정 목록이 나타나면 필요한 항목을 클릭해서 체크합니다.

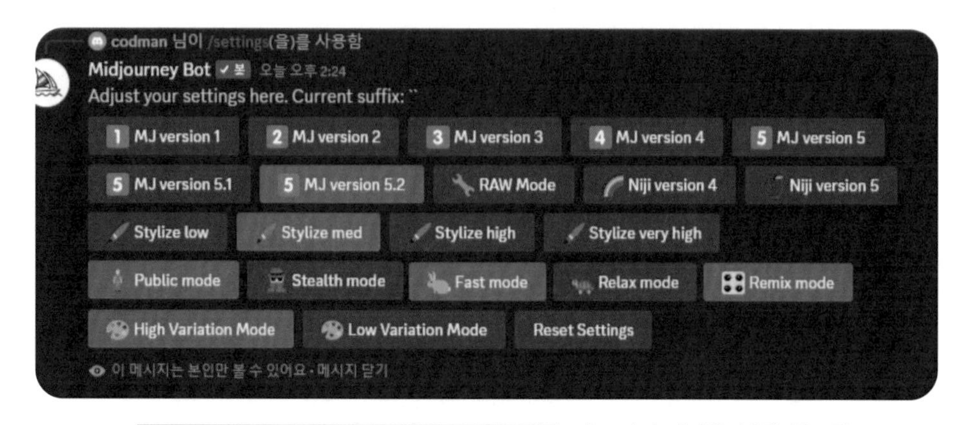

- **MJ version 1 ~ MJ version 5.2** 미드저니 버전을 설정하는 화면입니다. 선택한 항목은 직접 바꾸기 전까지는 변경되지 않습니다.
- **RAW Mode** RAW 모드로 이미지 생성하도록 설정합니다. MJ version 5.1이 선택되어 있어야만 활성화됩니다.
- **Niji version 4 ~ Niji version 5** Niji 버전을 선택합니다. Niji 버전을 선택하면 미드저니 버전 선택이 해제되고 Niji 모드가 기본으로 설정됩니다.
- **Style Low, Style med, Style high, Style very high** Stylize 파라미터의 속성을 설정합니다. [Style med]는 '--Stylize 100'으로 기본값으로 설정되어 있습니다. Style Low은 '--Stylize 50', Style high는 '--Stylize 250', Style very high는 '--Stylize 750'으로 설정됩니다.
- **Public mode** 공개 모드로 작업한 내용이 다른 사람들도 볼 수 있도록 설정됩니다. 기본 선택 옵션이며 [프로] 플랜 사용자들만 해제가 가능합니다.
- **Stealth mode** 비공개 모드로 다른 사용자들이 프롬프트와 이미지를 볼 수 없도록 합니다. 구독 서비스 중 [프로], [메가] 플랜 사용자들만 사용할 수 있습니다.
- **Fast mode** 이미지 생성을 빠르게 실행합니다. 이 모드를 끄면 이미지를 천천히 생성하는 릴랙스 모드로 전환됩니다. 단, 베이직 플랜 사용자는 릴랙스 모드를 사용할 수 없으므로 모드 변환이 되지 않습니다.

- **Remix mode** 이미지를 합성할 때 사용합니다. 이 모드를 활성화해야 리믹스 프롬프트를 입력할 수 있습니다.
- **High Variation Mode / Low Variation Mode** 바리에이션의 화질을 지정합니다. High를 선택하면 고화질로 이지만 생성 속도가 느리고 Low를 선택하면 화질은 좋지 않지만 생성 속도가 빨라집니다. 검토용으로 사용할 목적이라면 Low로 설정하는 것도 좋은 방법입니다.
- **Reset Settings** 옵션값을 초기화합니다. 위의 이미지가 초기값 옵션입니다.

미드저니 버전은 가능한 최신 버전에 맞추고 스타일은 [Style med], [Remix mode]는 활성화합니다. 미드저니 사용료 비용을 절약하려면 [Fast mode]를 꺼두고 사용하다가 빨리 처리하고 싶을 때만 [/fast] 명령을 실행하여 패스트 모드를 활성화하여 사용하고 다시 느리게 실행하고 싶을 때는 [/relax] 명령을 실행하여 릴랙스 모드로 전환합니다. [Fast mode]는 사용 시간이 차감되지만 릴랙스 모드는 [스탠다드 플랜]과 [프로 플랜], [메가 플랜] 구독 사용자에 한하여 무료입니다.

/imagine a boy swimming freestyle in the pool, full body visible, high detail,

/imagine molecular, a story in a dream

/imagine full body shot, Street style, Handsome guy, wearing a denim jacket, with a motorcycle helmet, hongkong in 1990s style, photorealistic –ar 1:2 –q 2

/imagine portrait, Samurai, intense eyes, thick eyebrows, extream closeup macro shot

step 3

프롬프트 고급

38

프롬프트 명령에 가중치 적용하는 방법

프롬프트를 작성할 때 어떤 단어는 다른 단어보다 강조하고 싶을 때가 있습니다. 이럴 때는 강조할 단어 뒤에 '::'을 입력해서 가중치를 적용해주면 됩니다. 배수를 적용해 강조하고 싶다면 '::' 뒤에 배수만큼 숫자를 넣어 주면 됩니다. 예를 들어 2배 강조하고 싶다면 '::2'라고 넣어주면 됩니다. 숫자를 입력하지 않으면 1로 지정됩니다. 숫자에는 음수도 넣을 수 있는데 음수를 넣으면 이미지에서 해당 단어를 제거해 줍니다. 대신 음수를 사용할 때는 가중치에 사용된 모든 수의 총합이 양수여야 합니다.

프롬프트:: 또는 프롬프트::숫자

왼쪽 이미지는 /imagine cup cake illustration 명령으로 컵케이크 이미지를 만들었고 오른쪽은 cup:: cake illustration 프롬프트를 사용하여 컵을 강조한 이미지를 생성했습니다. 컵이 강조되어 컵케이크가 아닌 컵에 담긴 케이크 이미지가 만들어졌습니다.

다음 이미지는 cup:: cake::2 illustration 프롬프트를 사용해서 컵과 케이크를 강조하되 케이크를 2배 정도 강조하도록 만들었습니다. 컵보다는 케이크에 많은 효과가 적용되어 만들어진 것을 볼 수 있습니다.

다음 이미지는 cup::2 cake red::-1 illustration 프롬프트를 사용해서 컵을 2배 정도 강조하고 빨간색은 사용하지 않게 설정했습니다. 이미지에 붉은 계열의 색이 적게 반영된 것을 볼 수 있습니다. 그리고 음수 값을 사용할 때는 총 강조의 값이 양수여야 하는데 컵에 2, 빨간색에 -1을 사용했기 때문에 총합이 양수이므로 조건에 만족하도록 설정했습니다.

39

사실적인 이미지 잘 만드는 방법

사실적인 사진처럼 이미지를 만들 때 사용하는 프롬프트는 많지만 그중에서도 대표적인 프롬프트로는 high detail, 8K, photo realistic이 있습니다. high detail은 섬세하게 만들어주는 프롬트프이고, 8K는 고화질, photo realistic은 사진처럼 리얼하게 만들어 줍니다. 그리고 퀄리티를 높이기 위해 --q 2 정도 넣어 주고 화면 비율은 1:1보다 16:9를 사용해 와이드하게 설정해야 결과물의 표현력이 좋아집니다.

```
/imagine ~ high detail, 8k, photo realistic --q 2 --ar 16:9
```

/imagine Cowboys, one man, closeup --ar 16:9 과 the city of the future --ar 16:9 을 입력해서 만들어 보았습니다. 다음은 이 명령에 high detail, 8k, photo realistic을 추가해서 이미지를 만들어 보았습니다. 명령을 추가하지 않아도 멋진 사진이 나왔지만 high detail, 8k, photo realistic을 입력한 경우 자연광이 추가되어 입체감이 살아나 디테일하게 표현된 사진이 만들어 졌습니다. 이와 같이 high detail, 8k, photo realistic을 추가하면 보다 사실적인 이미지를 만들어 줍니다.

/imagine Cowboys, one man, closeup --ar 16:9
/imagine the city of the future --ar 16:9

/imagine Cowboys, one man, closeup, high detail, 8k, photo realistic --q 2 --ar 16:9
/imagine the city of the future, high detail, 8k, photo realistic --q 2 --ar 16:9

이외에 cinematic lighting 프롬프트를 사용하면 영화처럼 환상적인 조명 효과를 연출할 수 있습니다. 빨간색과 파란색 조명이 어우러져 입체감 있는 장면을 연출해 줍니다.

분위기 있는 흑백으로 만들려면 monochromatic을 추가합니다. 이 단어를 입력하면 마치 흑백 영화의 한 장면처럼 분위기 있는 사진을 만들어 줍니다. 빈티지 느낌을 주고 싶으면 vintage 프롬프트를 사용하면 좋은데 사진을 조금 바랜 듯하게 만들어 줍니다.

각 명령에 대한 특징을 잘 이해한 후 만들고 싶은 이미지에 어울리는 명령을 골라서 적용해서 사용하도록 합니다. 어떠한 경우에는 과한 효과가 오히려 독이 되기도 하므로 적절한 표현을 넣는 것이 무엇보다도 중요합니다.

/imagine Gangster shooting, cinematic lighting, high detail, 8k, photo realistic --q 2 --ar 16:9

/imagine Gangster shooting, monochromatic, high detail, 8k, photo realistic --q 2 --ar 16:9

/imagine Gangster shooting, vintage, high detail, 8k, photo realistic --q 2 --ar 16:9

어떠한 프롬프트를 아무리 입력해도 사실적인 이미지처럼 보이지 않는 경우가 있습니다. 이러한 경우에는 **by professional photography**를 넣어 보도록 합니다. 좀 더 사실적인 이미지로 만들어 줄 것입니다. 그리고 **cinematic lighting --q 2**를 추가하면 보다 사실적인 효과를 부각시켜줄 것입니다.

/imagine Pilot sitting in a cockpit, high detail, 8k, photo realistic, by professional photography, cinematic lighting --q 2

40

카메라 촬영 기법을 프롬프트에 적용하는 방법

미드저니는 프롬프트에 카메라 세팅 환경을 입력해서 이미지를 표현할 수 있습니다. 카메라의 종류, 카메라에 사용한 렌즈의 종류, 기타 설정값, 필름 종류 등의 속성을 적용할 수 있습니다. 프롬프트에 **by 카메라 모델명 렌즈 길이 카메라 속성** 내용을 나열하면 이미지에 반영되어 마치 카메라로 촬영한 이미지처럼 만들 수 있습니다. 캐논, 소니, 니콘 등의 카메라 업체의 이름을 지정하면 카메라 업체가 가지고 있는 고유의 색감을 이미지에 적용할 수 있습니다.

왼쪽 이미지는 The Little Mermaid, by Canon EOS Lens 35mm --ar 16:9를 입력했고 오른쪽은 by Nikon Lens, 아래 이미지는 by Sony Lens로 입력함

이번에는 카메라 속성 중 카메라 렌즈마다 갖고 있는 효과를 살펴 보겠습니다. 렌즈 길이는 mm lens라고 표기하는데 렌즈 길이란 렌즈와 필름 또는 이미지 센서와의 거리를 말합니다. 보통 기본 렌즈는 50mm이고, 화각이 매우 넓어 왜곡된 이미지를 보여주는 어안 렌즈는 15mm 정도, 조금 넓은 광각 렌즈는 35mm, 화각이 좁고 멀리 있는 피사체를 가깝게 보여주는 망원 렌즈는 약 200mm 정도로 설정합니다. 숫자가 클수록 망원 느낌이 강해지고 숫자가 적을수록 광각 느낌이 강해집니다. 이와 같이 렌즈 초점 거리를 지정하면 이미지에 화각의 변화를 조절할 수 있습니다.

왼쪽 이미지는 The Little Mermaid, by Canon EOS Lens 15mm --ar 16:9를 입력했고 오른쪽은 Lens 35mm, 아래쪽 이미지는 Lens 200mm로 입력함

그다음은 카메라 조리개 수치에 대해서 알아보겠습니다. 조리개 수치는 f 기호로 표시하며, 조리개 값으로 1.4, 2, 2.8, 4, 5.6, 8, 11, 16 등의 수치를 넣을 수 있습니다. 숫자가 작을수록 피사체는 선명하고 배경은 블러 처리되는 느낌을 줄 수 있고 숫자가 클수록 피사체를 포함한 이미지 전체가 선명하게 보이게 됩니다.

위쪽 이미지는 The Little Mermaid, by Canon EOS Lens 35mm F1.4 --ar 16:9를 입력했고 아래 이미지는 F11을 입력함

필름 카메라의 필름 종류도 프롬프트로 지정할 수 있습니다. 특히 흑백 필름인 ilford pan 135 film을 입력하면 일포드 팬 필름을 사용하여 촬영한 듯한 흑백 이미지를 만들어 줍니다. 필름만이 가지고 있는 색 대비가 표현된 아날로그 느낌의 이미지를 만들 때 사용합니다.

/imagine A cute kid running, ilford PAN 135 film

/imagine Lighthouse, ilford PAN 135 film

이외에 **auroracore**라는 단어를 프롬프트를 추가하면 카메라 촬영시 조리개 수치를 낮출 때 얻을 수 있는 아웃포커스 효과를 손쉽게 만들 수 있습니다. 배경에 번짐 효과를 주고 반대로 피사체는 선명하게 만들어 이미지를 고급스럽게 만들어 줍니다.

/imagine a hip boy, cinematic lighting, auroracore

/imagine candypunk fashion, magic realism, cinematic lighting, auroracore

/imagine Close-up, basketball court, passing a basketball while running, sweating, auroracore

이번에는 카메라를 이용한 다른 효과에 대해서 알아보겠습니다. 폴라로이드 효과를 주는 **polaroid**, 셀카 느낌을 주는 **selfie**, 그리고 증명사진 느낌을 주는 **id photo**가 있습니다. 이러한 프롬프트를 이용하면 재미있는 셀프 사진을 만들 수 있습니다.

/imagine The girl who sends finger hearts, polaroid

/imagine the scene of the marathon goal, polariod

/imagine The girl who sends finger hearts, selfie

/imagine an attractive new male employee, id photo

41

멋진 페인팅 느낌의 이미지 잘 만드는 비법

미드저니에서 사실적인 사진 말고도 페인팅 그림 같은 효과도 줄 수 있습니다. **by painting**을 입력하면 그림 효과를 적용할 수 있는데 오일 페인팅 느낌은 **by oil painting**, 수채화 느낌은 **by watercolor painting**라고 입력해주면 됩니다.

위쪽 이미지 **/imagine** Jeanne d'Arc in armor, by watercolor | **/imagine** rainy day view, by watercolor　　아래쪽 이미지 **/imagine** Jeanne d'Arc in armor, by oil painting | **/imagine** World War II, nurse's face, by oil painting

컴퓨터 그래픽의 드로잉 느낌을 주려면 **by illustation**이나 **CorelDRAW** 같은 그래픽 프로그램 이름을 넣어 주면 됩니다. 좀 단순한 선으로 표현하고 싶다면 **simple line**을 추가합니다.

위쪽 이미지는 the car of the future, by illustation, 아래쪽 이미지는 by CorelDRAW로 입력함

/imagine the car of the future, simple line, by illustation

그리고 **Intricate details, hyper glow**라고 추가해주면 좀 더 세부적인 묘사와 섬세한 터치를 추가할 수 있습니다. 또한 **Artstation**이라고 추가해주면 좀 더 리얼리티한 터치 느낌을 주며 더욱 고급스러운 이미지로 연출해 줍니다.

/imagine Mustang, hyper glow, exquisite detail by CorelDRAW --ar 16:9

/imagine a giant robot standing between buildings, exquisite detail by CorelDRAW, Intricate details, hyper glow --ar 16:9

위의 이미지는 Titanic Across Glaciers, exquisite detail by CorelDRAW --ar 16:9
아래 이미지는 Artstation를 추가했음

펜으로 스케치를 그린 이미지를 만들려면 **black line art style**을 입력해서 생성합니다. 어떠한 경우에는 흑백 스케치가 아니라 컬러가 남아 있는 경우가 있는데 이러한 경우에는 **monotone**을 추가해 주도록 합니다.

/imagine the genie of a magic lamp, black line art style, monotone --ar 16:9

/imagine Soccer, kicking scene, Intricate details, hyper glow, black line art style, monotone --ar 16:9

이외에 선 스케치는 **Line Art style**, 연필 스타일 **pencile art style**, 흑연 스케치 스타일 **Graphite**, 목탄 스케치 스타일 **Charcoal Art style**를 입력해서 스케치 느낌을 줄 수 있습니다. 만일 이미지에 컬러가 삽입되면 **monotone**을 추가해서 흑백 이미지로 만들어 줍니다.

/imagine Line Art style, a ballet scene

/imagine Charcoal Art style, The Thinker of Roden

/imagine pencile art style, Egyptian Sphinx

/imagine Graphite style, Venus

42

유명 작가 화풍을 이미지에 적용하는 방법

프롬프트에 간단하게 유명한 화가나 작가의 이름만 적어 주면 이미지에 화가의 화풍 담아 그림을 그려 줍니다. 모나리자를 프리다 칼로 스타일로 그릴 수 있고 콜라 캔을 앤디 워홀 스타일로 그릴 수 있습니다. 프롬프트에 화가의 이름만 적기 보다는 by와 함께 적어주는 것이 좋습니다.

by van Gogh: **반 고흐 스타일**
by Alphonse Mucha : **알폰소 무하 스타일**
by andy warhol : **앤디 워홀 스타일**
by francisco de goya : **고야 스타일**
by edgar degas : **에드가 드가 스타일**
by frida kahlo : **프리다 칼로 스타일**
by gustav klimt : **구스타브 클림트 스타일**

미드저니는 작가의 화풍을 잘 적용해주며 이미지에 멋진 효과를 주기에 더할 나위 없이 좋은 역할을 합니다. 하지만 그만큼 저작권에 대해서 문제가 많습니다. 이미지 학습으로 인한 작가의 동의없이 적용되는 기능이다 보니 발생하는 문제죠. 이 부분은 아직도 저작권 침해의 논란을 가지고 있습니다. 그러므로 작가의 화풍을 사용할 때는 신중해야 합니다. 이미지 자체를 판매하는 스톡 판매에서는 절대 사용해서는 안됩니다.

/imagine cocacola can by andy warhol

/imagine Mona Lisa by frida kahlo

/imagine a ballet girl, by edgar degas --ar 3:2

/imagine Beautiful woman, long hair, big eyes, by Alphonse Mucha --ar 2:3

/imagine Sherlock Holmes, by gustav klimt

/imagine Le Penseur, by van Gogh

/imagine Old station worker, by Wes Anderson

화풍은 그림 뿐만 아니라 일러스트레이터, 영화, 패션, 만화 등 다양한 장르에 적용할 수 있습니다. [ANDREI KOVALEV's] 홈페이지(https://www.midlibrary.io)에 접속하면 미드저니에서 사용할 수 있는 다양한 스타일 목록을 볼 수 있습니다. 사용하고 싶은 화풍을 고른 다음 타이틀 이름을 by와 함께 붙여서 프롬프트에 입력해서 사용하면 됩니다.

예를 들어 [PHOTOGRAPHERS]-[TAMI BONE] 카테고리를 클릭해서 이미지 스타일을 확인한 다음 이 이미지를 사용하려면 프롬프트에 'by tami bone'라고 입력하면 됩니다.

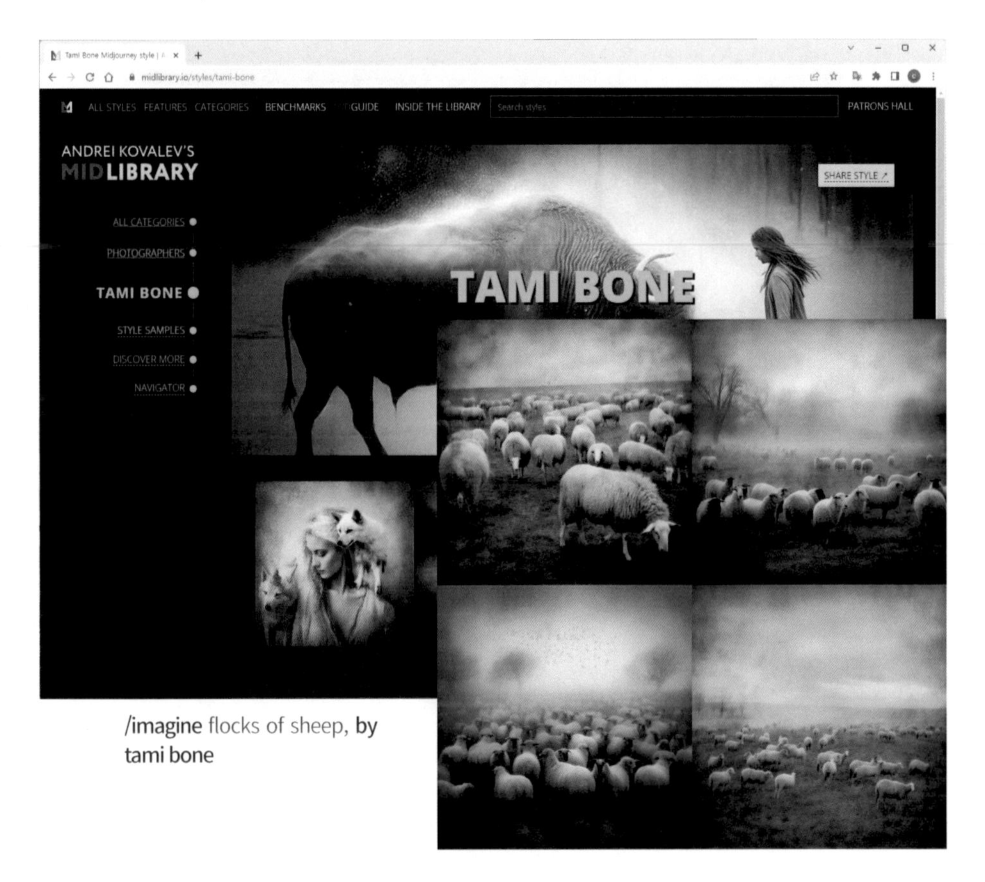

/imagine flocks of sheep, **by tami bone**

43

만화나 애니메이션처럼 그림 그리는 방법

만화나 애니메이션처럼 그림을 그리고 싶다면 **manga style, anime style**을 프롬프트에 넣어 주면 됩니다. 풍자 만화 스타일을 그리려면 **cartoon style**, 캐리커처 그림을 그리려면 **caricature style**이라고 넣어 주면 됩니다.

manga style : 만화 스타일
anime style : 애니메이션 스타일
cartoon style : 풍자 만화 스타일
caricature style : 캐리커처 스타일
marvel comics style : 마블 코믹스 스타일
dc comics style : DC 코믹스 스타일

/imagine hiphap boy in street, manga style

/imagine hiphap boy in street, anime style

/imagine Bill Gates and Steve Jobs, cartoon style
/imagine Mr.bean, cartoon style

/imagine bruce lee, caricature style

위에서 소개한 만화나 애니메이션 스타일의 포괄적인 느낌보다 특정한 작가 스타일을 골라서 적용하면 한층 섬세하고 디테일한 그림을 만들 수 있습니다.

/imagine Close-up, basketball court, passing a basketball while running, sweating, by Takehiko Inoue

/imagine Close-up, basketball court, passing a basketball while running, sweating, by yoji shinkawa

미국 코믹북인 마블과 DC도 스타일을 적용해서 만들 수 있습니다. 두 스타일은 비슷하면서도 효과주는 방식에 미묘한 차이가 있습니다.

/imagine two men boxing, marvel comics

/imagine two men boxing, dc comics

만화나 애니메이션 그림을 그릴 때는 이미지의 색감도 매우 중요합니다. 스케치 느낌으로 꾸미고 싶은데 색이 들어가면 안되겠죠. 다음 이미지를 살펴보면 manga style을 적용했음에도 불구하고 흑백이 아니라 색이 들어간 것을 볼 수 있습니다. 이는 사막이라는 의

미에 담겨 있는 노란색 느낌의 색을 이미지에 적용되어서 그렇답니다. 그래서 컬러도 사막 느낌의 따스한 색이 들어갔어요. 이와같이 manga style을 적용해도 색이 들어가기 때문에 안전하게 흑백으로 처리하려면 monotone을 함께 추가해주는 것이 좋습니다.

이처럼 색상을 지정하지 않아도 단어에 따른 색감을 미드저니는 적용하고 있다는 점을 알아두도록 합니다.

/imagine a woman in wearing scarf in the desert, manga style

/imagine a woman in wearing scarf in the desert, monotone, manga style

이번에는 애니메이션 캐릭터에 대해서 알아보겠습니다. 앞에서 알아본 **anime**를 입력하고 **high detail, high detail, 8k**을 입력해서 퀄리티를 높여주면 멋진 캐릭터가 만들어 집니다. 여기에 좀 더 3D 애니메이션 느낌을 주고 싶다면 **3D animation**을 추가해주도록 합니다. 또는 **by pixar**를 입력하면 픽사 애니메이션 느낌의 캐릭터가 만들어 집니다.

/imagine Personality boy, anime, high detail, high detail, 8k, 3D animation

/imagine a cute girl dancing by pixar

44

멋진 캐릭터 만들기

웹툰이나 캐릭터 제작할 때도 미드저니는 많은 도움을 줄 수 있습니다. 캐릭터는 보통 다양한 선이나 컬러를 사용하지 않고 간략한 라인과 컬러로 제작하는 경우가 많습니다. 이렇듯 컬러가 있고 퀄리티가 있는 캐릭터를 만들때는 blend of comic book art and lineart in full natural colors 또는 Illustrated characters, simple line을 사용합니다. 또는 niji 프롬프트를 사용해도 귀엽고 예쁜 캐릭터를 만들 수 있어요.

흑백의 캐릭터를 만들 때는 black lineart, cartoon style을 프롬프트로 사용합니다. 만일 컬러가 비친다면 monotone을 추가해주고 배경을 흰색으로 만들고 싶으면 white background를 추가합니다.

/imagine blend of comic book art and lineart, Cute and mischievous boy, wearing a baseball cap and jeans, minimal detail, minimal shading, simple colors, white background

/imagine Illustrated characters, Simple line, Processing closed curves, Cute and mischievous boy, wearing a baseball cap and jeans, minimal detail, minimal shading, simple colors, white background

/imagine black lineart, cartoon style, A guy with big eyes, school uniform, portrait, monotone

그리고 단순하게 이미지를 표현하고 싶다면 minimal detail, minimal shading, simple colors (최소한의 디테일, 최소한의 명함, 단순한 컬러)를 추가해주면 됩니다. 캐릭터의 선 라인을 표시하고 싶지 않다면 no outline을 추가해주면 만화 느낌보다 애니메이션 느낌이 강한 캐릭터를 만들 수 있습니다.

이미지의 성격도 지정해주면 좋아요. 어린이용이라면 children's book illustration라고 넣어주고 웹툰에 사용할 이미지라면 webtoon character라고 넣어 줍니다.

캐릭터를 만들 때는 한 장에 여러 캐릭터를 담으면 좀 더 다양하게 연출된 그림을 구할 수 있을 거예요. 한 장에 여러 캐릭터를 담으려면 multiple poses and expression을 추가해 주세요. 그러면 한 장에 다양한 포즈의 여러 캐릭터를 만들어 줄 거예요. 단! 이미지 생성 속도가 매우 느려진답니다.

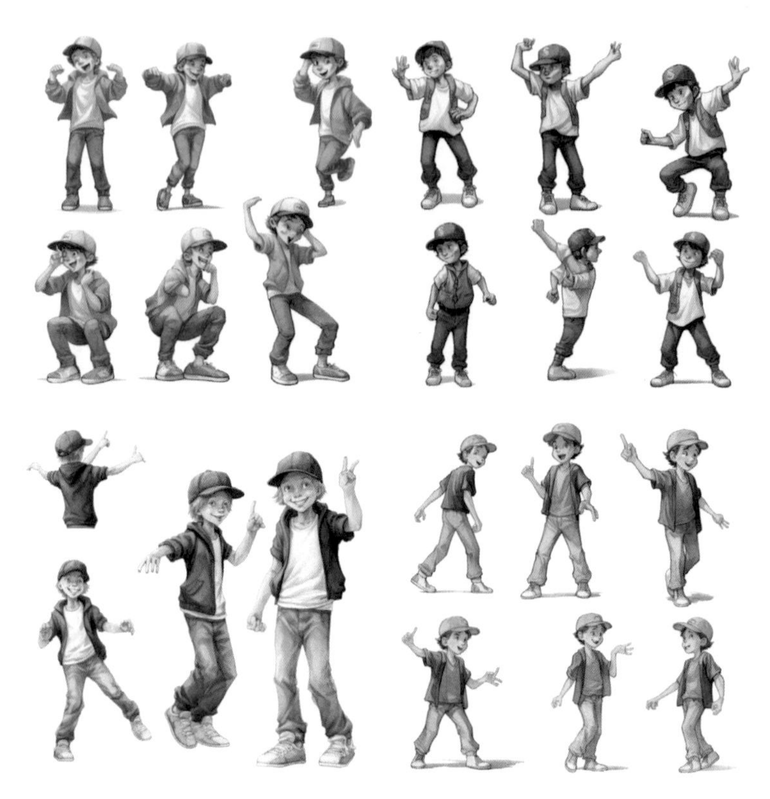

/imagine A mischievous 10-year-old boy wearing a baseball cap, a baseball jumper, and jeans, multiple poses and expressions, children's book illustration, no outline

/imagine A mischievous 10-year-old boy wearing a baseball cap, a baseball jumper, and jeans, multiple poses and expressions, Webtoon characters, no outline

/imagine blend of comic book art and lineart in full natural colors, Coy adolescent girl, pigtails, dead sesame, cute face

/imagine blend of comic book art and lineart in full natural colors, Coy adolescent girl, pigtails, dead sesame, cute face, angry look --seed 위 이미지의 시드 넘버

마음에 드는 캐릭터를 만드셨나요? 그러면 이렇게 만든 캐릭터와 같은 다른 모습의 이미지도 필요할 거예요. 이때 사용하는 기능이 Seed 입니다. 마음에 드는 이미지의 Seed 번호를 구한 후 Seed 파라미터로 번호로 지정해주면 비슷한 이미지로 만들어 줍니다. Seed를 사용하면 최대한 비슷하게 만들어 줄 뿐이지 무조건 똑같지는 않다는 점도 알아두세요.

45

로고 디자인하기

미드저니를 이용하여 로고도 디자인할 수 있습니다. 간단하게 logo라고 입력해주면 로고에 어울리는 디자인을 만들어 줍니다. 이때 white background를 입력해서 배경은 하얗게 만들고 thick lines simple design, minimal shading, simple colors (선 두껍게, 심플한 디자인, 최소한의 명함, 단순한 컬러)을 입력해서 로고에 어울리는 디자인을 만들 수 있도록 합니다. 위의 속성은 필요에 따라 추가하거나 빼거나 하여 알맞은 값을 찾아서 입력하도록 합니다.

/imagine logo of ~ thick lines simple design, minimal shading, simple colors, white background

/imagine logo of chicken, thick lines, simple design, minimal shading, simple colors, white background

/imagine logo of web design, simple design, minimal shading, simple colors, vector, white background

46

재미있는 효과가 있는 이미지 만들기

이미지에 재미있는 효과를 주는 프롬프트가 있습니다. 이 프롬프트를 넣으면 이미지를 완전히 색다르게 만들어 줍니다. 재미있고 개성있는 이미지를 만들때 유용하게 사용할 수 있습니다.

Psychedelic style : 다채로운 스타일

pop-art style : 팝아트 풍 스타일

deep dream style : 몽환적인 이미지

8-bit style : 도트 이미지

low poly style : 각진 이미지

molecular style : 분자 모양의 구성을 가지는 스타일

infographics : 인포그래픽 스타일

action figure : 액션 피규어 스타일

paper art : 페이퍼 공작 스타일

arabesque : 아라바스크 문양 스타일

rococo : 로코코 스타일

isometric : 입체 도형 스타일

diorama : 입체 모형 스타일

/imagine Psychedelic, a diving swimmer

/imagine pop-art, aerobic dance

/imagine deep dream, an old man in a rocking chair

/imagine 8-bit, Firefighter

/imagine low poly, Dancing Queen

/imagine molecular, hair designer

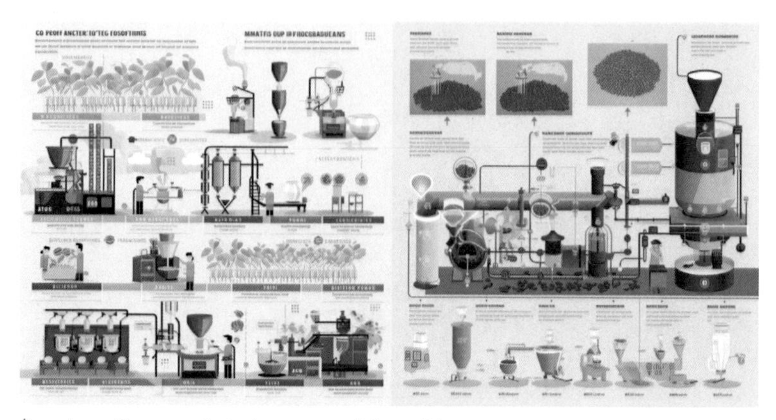

/imagine coffee manufacturing process, infographics

/imagine Infantry, action figure, product shot

/imagine angry bird, paper art

/imagine Animal pattern, rug, arabesque

/imagine a room with furniture with a subtle light, rococo style

/imagine Coastal city, horizon, small vessel, white building, blue sky, isometric

/imagine a giant robot standing on a mountain, diorama

47

이미지 구도 잘 만드는 방법

미드저니는 프롬프트에서 설명한 내용에 맞는 구도를 설정해줍니다. 설명한 상황과 제시된 캐릭터의 특징에 맞는 구도로 설정됩니다. 인물을 지정하면 얼굴에서 어깨선 정도까지 설정하고 책을 읽는 장면이라면 책을 잡는 영역인 상반신 구도를 중심으로 잡게 됩니다. 결국 프롬프트로 설정하는 내용에 맞게 구도를 설정합니다. 어떠한 경우에는 구도를 지시하는 경우도 있습니다. Full length portrait 또는 Full body shot은 전신 크기로, three quarter view 또는 medium full shot은 상반신까지 구도를 잡아줍니다. 그리고 옆 모습은 side shot, 뒷모습은 back shot이라고 입력해주면 됩니다. 보통 프롬프트 앞에 구도 설정 내용을 적어 가능한 원하는 구도에 맞게 그림을 만들도록 해줍니다.

자전거를 타는 귀여운 소녀를 표현하기 위해서 a very cute

/imagine back shot, a very cute girl, Cycling, in beautiful street, at sunny day

/imagine side view, a very cute girl, Cycling, in beautiful street, at sunny day

girl, Cycling이라고 프롬프트를 지정하고 배경을 꾸미기 위해 in beautiful street, at sunny day라고 입력해서 화사한 날씨에 아름다운 도로라고 장소를 지정해줍니다. 이렇게 프롬프트를 지정해주면 미드저니는 이 요소들을 모두 담아서 적당한 구도로 표현해 줍니다. 자전거라는 요소를 넣기 위해서 최소 상반신 이상의 크기로 구도가 설정됩니다. 전신의 모습으로 표현하고 싶으면 프롬프트에 Full length portrait 또는 Full body shot을 넣어 주면 됩니다. 또는 전신이 보일 수 있게 wearing cute summer sandals 라고 추가해주면 미드저니는 귀여운 여름용 샌들을 넣기 위해서 하체까지 표현하게 됩니다. 구도 상황을 넣어주는 방법과 부연 설명을 추가해 주는 방법이 있는데 더 완벽한 표현을 위해서는 모두 표현해 주도록 설정하는 것이 좋습니다.

이외에 상반신까지 표현하게 해주는 upper body shot, 머리 위에서 촬영한 듯한 구도인 over head view, 밑에서 촬영한 듯한 구도인 low shot 등이 있습니다. 그리고 화각을 넓혀서 배경을 널찍하게 보여주는 extream long shot도 있습니다.

/imagine Full length portrait, Soldier in an air jacket and sunglasses, F-15 fighter in the background

/imagine a very cute girl, Cycling, in beautiful street, at sunny day, wearing cute summer sandals

/imagine upper body shot, a very cute girl, Cycling, in beautiful street, at sunny day

/imagine over head view, a very cute girl, Cycling, in beautiful street, at sunny day

/imagine low shot, a very cute girl, Cycling, in beautiful street, at sunny day

/imagine extream long shot, a very cute girl, Cycling, in beautiful street, at sunny day

비슷한 의미인데 시야각 표현으로 눈 높이 앵글인 **eye level**, 밑에서 위로 바라보는 앵글인 **low level**, 위에서 아래로 바라보는 앵글인 **high angle**, 마치 공중을 나는 새가 아래를 굽어보는 것처럼 아주 멀리서 내려다보는 앵글인 **angle bird's eye view**도 있습니다.

/imagine cyberfunk, a gangster standing on the road, eye angle

/imagine cyberfunk, a gangster standing on the road, low angle

/imagine cyberfunk, a gangster standing on the road, high angle

/imagine cyberfunk, a gangster standing on the road, bird's eye view

이번에는 클로즈업에 대해서 알아보겠습니다. 클로즈업은 말그대로 화면을 확대해서 보여주는 샷입니다. 프롬프트에 **close up shot**이라고 입력하면 됩니다. 확대 비율을 더 높이려면 **extreme close up shot**이라고 입력합니다.

/imagine portrait, Samurai with a knife, closeup shot

/imagine portrait, a boy who plays baseball, closeup shot

/imagine portrait, Samurai, extram closeup shot

/imagine portrait, a boy who plays baseball, extream closeup shot

closeup과 extream closeup 사진을 비교해보면 extream closeup 사진이 조금 더 클로즈업되어 있는 것을 볼 수 있습니다. 그렇지만 큰 차이는 없죠. 더군다나 extream closeup을 적용한 사무라이 사진은 칼을 들고 있다는 프롬프트를 삭제해야만 그나마 클로즈업이 되었습니다. 왜 그럴까요? 그 이유는 클로즈업할 대상을 정확하게 명기하지 않았기 때문입니다. 우리가 생각하는 얼굴의 extream closeup은 아마 눈동자만 보이거나 코 또는 입술이 확대되는 것을 연상할 것입니다. 예를 들어 칼을 든 사무라이를 클로즈업하라고 하면 미드저니는 칼과 사무라이를 모두 담으려고 하다보니 확대 비율에 한계가 생기게 됩니다. 그러므로 조금 더 확대된 이미지를 얻으려면 칼을 빼주어야 합니다.

그럼 인물의 눈이나 코 또는 입 등을 클로즈업하려면 어떻게 해야 할까요. 프롬프트에 정확하게 이미지에 담고 싶은 내용을 적어 주면 됩니다. 만일 눈만 크로즈업 하고 싶다면 **Samurai Close-up of your eyes**라고 지정해주고 보다 더 클로즈업하고 싶다면 **extream closeup macro shot**을 추가해 줍니다. 또한 검은 눈동자, 짙은 눈썹처럼 화면에 보이게 할 대상의 표현도 넣어줍니다. 그리고 이렇게 극단적인 클로즈업 이미지를 만들 때는 화면 비율을 내용에 맞게 넓게 만들어야만 멋진 사진이 만들어집니다.

/imagine Samurai Close-up of your eyes, intense eyes, thick eyebrows, extream closeup macro shot --ar 3:2

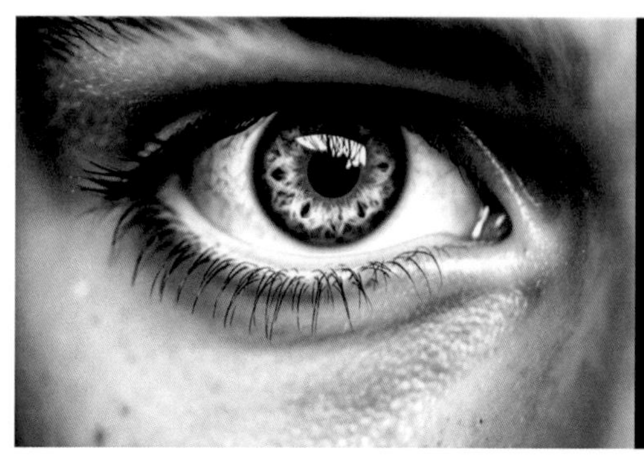
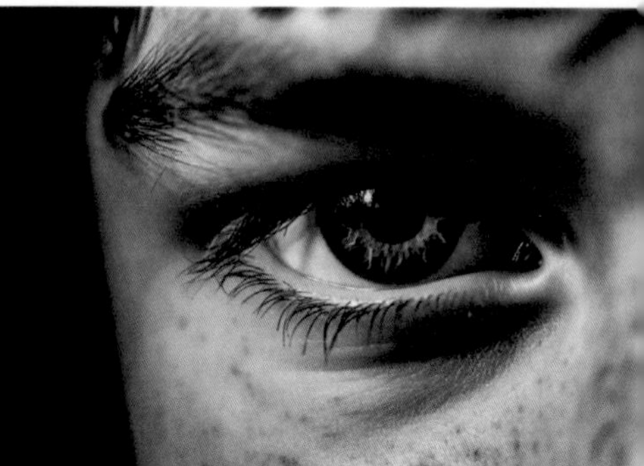

/imagine a boy who plays baseball Close-up of your eyes, cute eyes, extream closeup macro shot --ar 3:2

클로즈업보다 더 극단적으로 확대하려면 macro shot을 입력하여 매크로 사진을 만들 수 있습니다. 마치 매크로 렌즈로 촬영한 것처럼 피사체를 확대해서 만들어 줍니다.

/imagine beetle shell, macro shot

이번에는 단체 샷에 대해서 알아보겠습니다. 여러 명을 함께 등장시키고 싶다면 **group shot**이라고 입력해주면 됩니다.

/imagine group shot, Soldier in an air jacket and sunglasses, F-15 fighter in the background

/imagine group shot, Soldier in an air jacket and sunglasses, F-15 fighter in the background

48

이미지에 빛 효과 주기

사진에서 빛은 피사체를 아름답게 꾸며주는 매우 중요한 요소입니다. 미드저니는 이러한 빛의 표현을 적용하여 이미지에 반영해 줍니다. 빛의 들어오는 방향에 따라 바르게 들어오게 하려면 straight shot, 옆으로 비추게 하려면 side lighting, 뒤에서 비추게 하려면 backlighting이라고 넣어줍니다. 실루엣 효과를 주려면 silhouette lighting with side light라고 넣어 주면 피사체에 빛을 적용해 줍니다.

빛에 색감 정보를 추가하면 흥미로운 이미지를 만들 수 있습니다. red colored side lighting, neon colored side lighting을 추가하면 빛의 색이 피사체에 반영되어 멋진 효과를 연출해 줍니다. 다양한 색을 적용해서 독특한 이미지를 만들 수 있어요.

또한 빛을 부드럽게 soft lighting, 빛을 강하게 strong lighting, 빛을 특정 부분에 내리쬐어 강조해주는 spot lighting, 피사체의 그림자를 투영해주는 reflections 효과도 있습니다. 그리고 영화 조명 효과를 넣으려면 cinematic lighting을 넣으면 됩니다. 이중 cinematic spot lighting을 넣으면 피사체를 돋보이게 조명을 넣어주고 cinematic edge lighting을 입력하면 피사체 테두리에 빛을 넣어 매우 고급스럽고 분위기 있는 사진을 연출해 줍니다.

/imagine a pitcher standing squarely on the baseball field, portrait half body shot, straight lighting

/imagine a pitcher standing squarely on the baseball field, portrait half body shot, side lighting

/imagine a pitcher standing squarely on the baseball field, portrait half body shot, back lighting

/imagine a pitcher standing squarely on the baseball field, portrait half body shot, silhouette lighting with side light

/imagine a pitcher standing squarely on the baseball field, portrait half body shot, neon colored side lighting

/imagine a pitcher standing squarely on the baseball field, portrait half body shot, red colored side lighting

/imagine a pitcher standing squarely on the baseball field, portrait half body shot, head spot lighting

/imagine a pitcher standing squarely on the baseball field, portrait half body shot, reflection on ground

/imagine a pitcher standing squarely on the baseball field, portrait half body shot, cinematic spot lighting, 오른쪽은 ~ cinematic edge lighting

스튜디오 사진처럼 만들고 싶을 때는 **studio light**을 입력하면 스튜디오에서 촬영한 사진처럼 만들어 줍니다.

음식을 맛있게 만들기 위해서 김이 모락모락나게 연출하려면 **a touch of steam**을 넣어서 김이 나는 효과를 만들 수 있습니다. 이와 같이 조명 효과를 이용하여 다양한 효과를 만들 수 있습니다.

/imagine a luxury bag, product photo, studio light

/imagine Fried chicken on the table, a touch of steam

49

이미지 컬러 효과 주기

사진에서 빛은 피사체를 아름답게 꾸며주는 매우 중요한 요소입니다. 미드저니는 이러한 빛의 표현을 이미지에 적용하여 마치 빛을 이용하여 사진을 촬영하듯이 빛을 조절할 수 있습니다. 흔히 부드럽고 화사한 색감을 연출하려면 Soft color를 많이 사용합니다. 반대로 색감을 좀 진하게 표현하고 싶다면 hard color를 사용합니다. Soft color보다는 진한 색감을 얻을 수 있습니다.

이번에는 색대비에 대해서 알아보겠습니다. Constrast라고 부르는 색대비는 색과 색의 계조의 정도를 조절하는 옵션으로 high Constrast라고 입력해서 콘트라스트를 높이면 색을 단조롭게 만들어주어 피사체를 쨍하고 선명하게 만들고 low Constrast라고 입력해서 콘트라스트가 낮추면 피사체를 부드럽게 만들어 줍니다.

그리고 어린이 컬러링북처럼 채색 없이 드로잉 선만 필요할 때도 있습니다. 이러한 이미지를 만들때는 no shading, no color라고 넣어 색과 음영 효과를 넣지 않도록 하고 black thick lines을 입력해서 두꺼운 드로잉 선만 나타나도록 만들면 됩니다.

/imagine Don Quixote on horseback, soft color , 오른쪽은 ~ hard color

/imagine Don Quixote on horseback, low contrast , 오른쪽은 ~ high contrast

/imagine coloring book for kids, cartoon style, black thick lines, no shading, no color, Dinosaur in a jungle

이번에는 환상적인 컬러 효과를 만드는 방법에 대해서 알아보겠습니다. **Pastel tone color**를 넣으면 파스텔톤의 컬러로 이미지를 만들어 줍니다. 매우 세련되고 몽환적이고 환상적인 컬러 이미지를 만들어 줍니다. 고급스러운 이미지를 만들 때 유용하게 사용할 수 있습니다.

/imagine Alice in Wonderland, Pastel tone color

/imagine Idol female singer, music video, pastel tone color

50

잘 만든 이미지 프롬프트 참고하는 방법

[미드저니] 홈페이지에서 제공하는 [Showcase] 메뉴를 이용하여 잘 만들어진 이미지에 사용된 프롬프트를 확인할 수 있습니다. 여기서는 프롬프트를 참고하고 동일한 프롬프트를 이용해서 이미지를 생성해 보겠습니다.

1. [미드저니] 홈페이지(https://www.midjourney.com)에 접속해서 로그인한 다음 [Showcase] 버튼을 클릭합니다. 이미 로그인한 상태라면 바로 [Showcase] 버튼을 클릭해서 다른 유저들의 이미지를 볼 수 있습니다.

2. 왼쪽 메뉴에서 [Explore]를 클릭합니다. [Home] 화면에서는 내가 만든 업스케일까지 완료한 이미지들을 볼 수 있습니다.

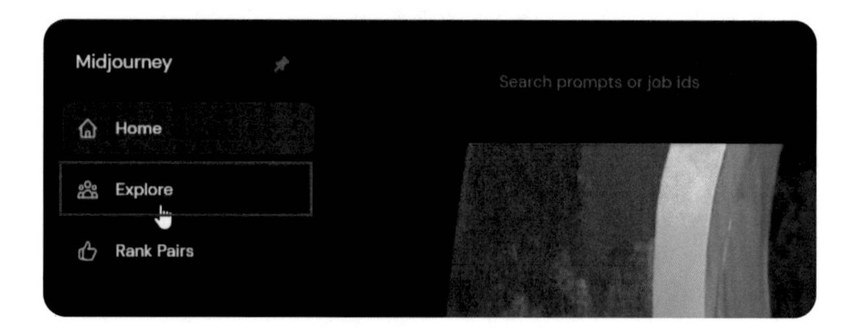

3. 인기 이미지를 보기 위해서 [Top]을 클릭합니다. 오른쪽 목록에서 [Grids]를 누르면 생성한 모든 이미지, [Upscales]을 누르면 업스케일한 이미지만 보여줍니다.

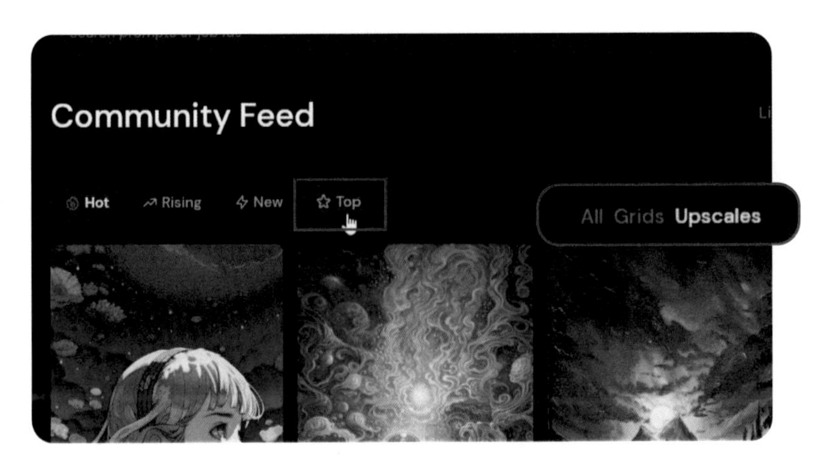

4. 자세히 보고 싶은 이미지를 클릭합니다. 이미지에 마우스 포인터를 위치하면 이미지에 대한 정보를 볼 수 있습니다.

5. [...] 버튼을 클릭하고 [Copy]-[Full Commend]를 클릭합니다. [Full Comment]를 클릭해서 이미지 제작에 사용된 프롬프트를 클립보드에 저장합니다.

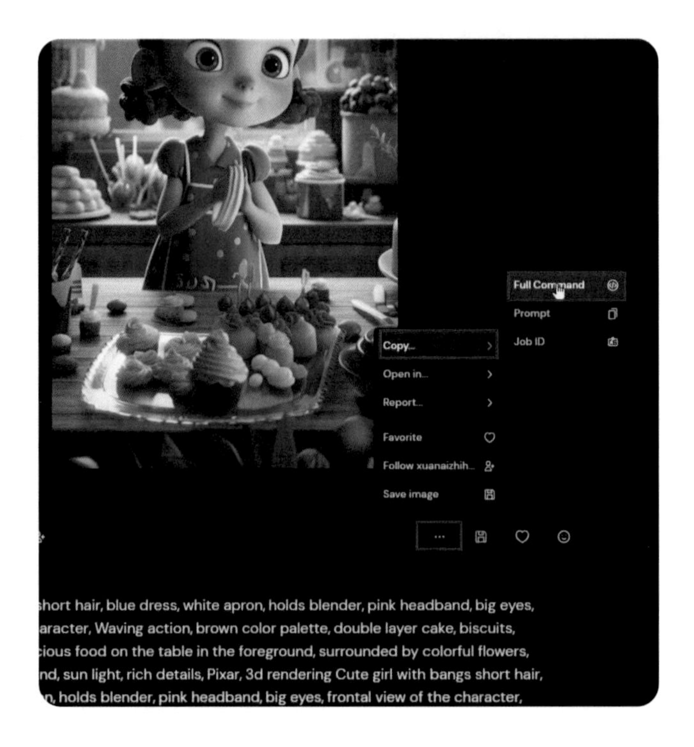

6. [메모장]을 실행한 다음 빈 문서를 클릭하고 Ctrl + V를 눌러 복사한 프롬프트를 붙여 넣습니다.

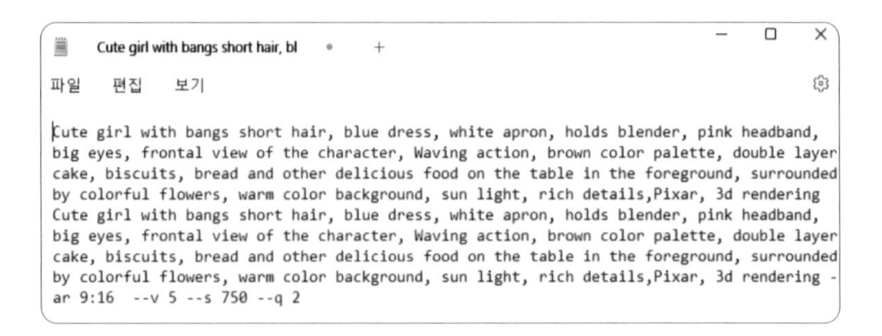

7. 미드저니 프롬프트에 [/image prompt]를 선택하고 Ctrl + V를 눌러 프롬프트를 붙여 넣고 Enter를 누릅니다.

prompt The prompt to imagine

/imagine

prompt Cute girl with bangs short hair, blue dress, white apron, holds blender, pink headband, big eyes, frontal view of the character, Waving action, brown color palette, double layer cake, biscuits, bread and other delicious food on the table in the foreground, surrounded by colorful flowers, warm color background, sun light, rich details,Pixar, 3d rendering Cute girl with bangs short hair, blue dress, white apron, holds blender, pink headband, big eyes, frontal view of the character, Waving action, brown color palette, double layer cake, biscuits, bread and other delicious food on the table in the foreground, surrounded by colorful flowers, warm color background, sun light, rich details,Pixar, 3d rendering --ar 9:16 --v 5 --s 750 --q 2

앞머리를 가진 귀여운 소녀 짧은 머리, 파란 드레스, 흰색 앞치마, 블랜더, 핑크 머리띠, 큰 눈, 캐릭터 정면 보기, 흔들기 액션, 브라운 컬러 팔레트, 더블 레이어 케이크, 비스킷, 빵 및 기타 맛있는 음식들, 화려한 꽃들로 둘러싸인, 따뜻한 색 배경, 햇빛, 풍부한 디테일, 픽사, 3d rendering 앞머리 짧은 머리, 파란 드레스, 하얀 앞치마, 블랜더, 핑크 머리띠, 큰 눈, 캐릭터 정면 보기, 흔들기 액션, 갈색 팔레트, 더블 레이어 케이크, 비스킷, 빵 그리고 다른 맛있는 음식들, 화려한 꽃들로 둘러싸인, 따뜻한 색 배경, 햇빛, 리치 세부 정보, Pixar, 3d 렌더링 --ar 9:16 --v5 --s 750 --q2

8. 완성된 이미지를 확인합니다.

동일한 프롬프트를 사용했다고 똑같은 이미지가 만들어지지는 않습니다. 여러 번 재실행하여 원하는 이미지를 고르도록 합니다.

51

프롬프트 시각적으로 확인하고 입력하는 방법

미드저니 프롬프트를 보다 손쉽게 입력할 수 있는 서비스를 제공하는 [MidJourney Prompt Helper]라는 사이트가 있습니다. 이 서비스를 이용하면 스타일, 조명 효과, 카메라 효과, 아티스트 지정, 컬러 설정, 질감 설정, 피사계 심도 조절와 이미지 비율, 퀄리티, 스타일라이즈, 시드, 카오스 파라미터를 시각적으로 확인하고 설정할 수 있도록 해줍니다. 효과 목록마다 가중치를 적용할 수 있는 점이 특징입니다.

1. [MidJourney Prompt Helper] 홈페이지(https://prompt.noonshot.com)에 접속한 다음 텍스트 박스에 프롬프트를 작성합니다.

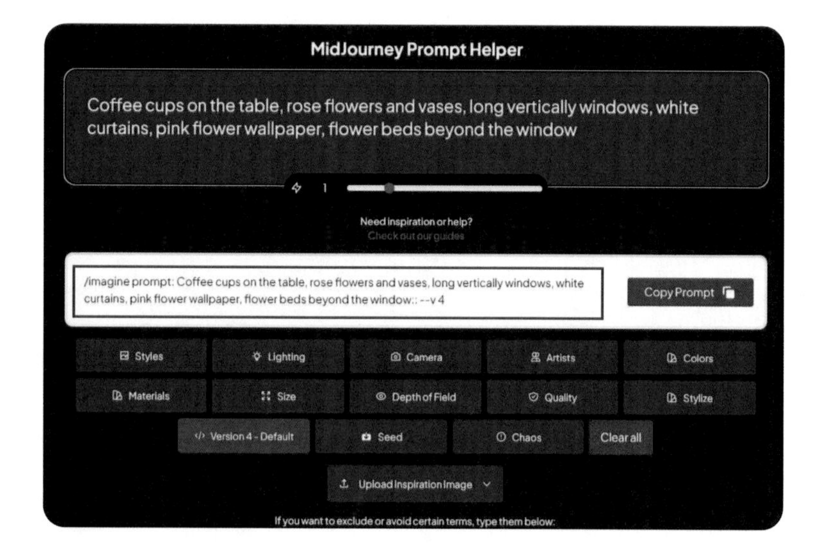

2. 목록 중에서 [Artists]를 클릭합니다.

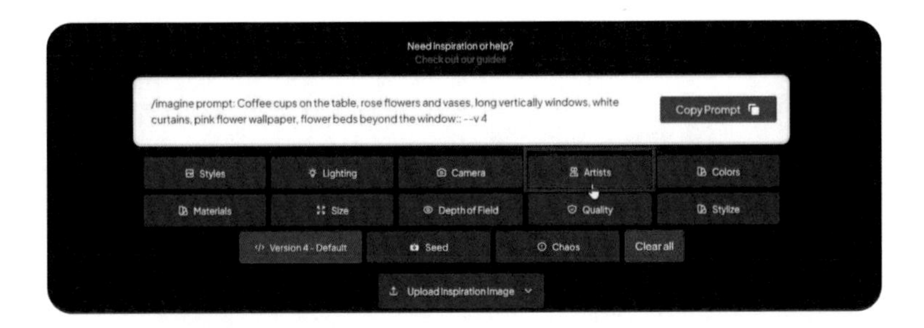

3. 이미지에 적용할 화풍을 선택하고 [Continue]를 클릭합니다. 항목 밑에 게이지는 가중치를 지정합니다. 기본은 1이고 강조하고 싶으면 수치를 올려 줍니다.

4. [Size]를 클릭하고 [Aspect Ratio] 탭을 클릭한 다음 이미지 비율을 선택합니다.

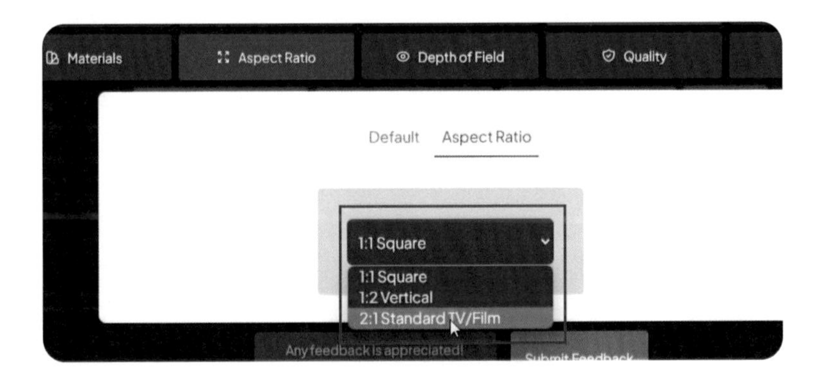

5. [Quality] 항목을 클릭한 다음 [2x]를 선택합니다.

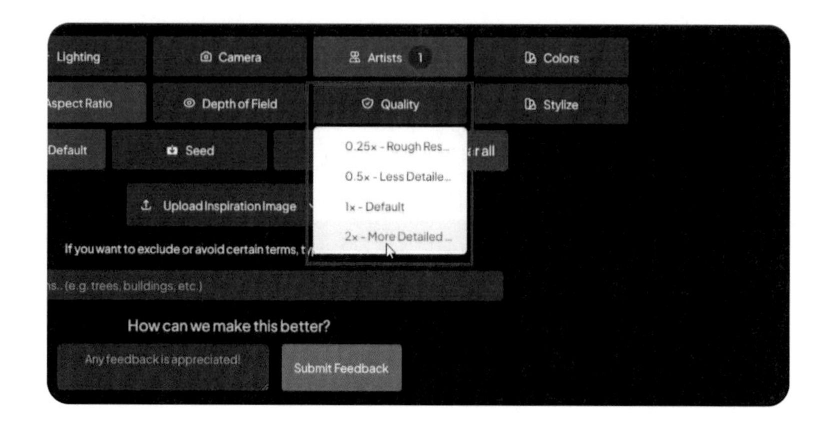

6. 같은 방법으로 효과를 지정한 다음 [Copy Prompt] 버튼을 클릭합니다.

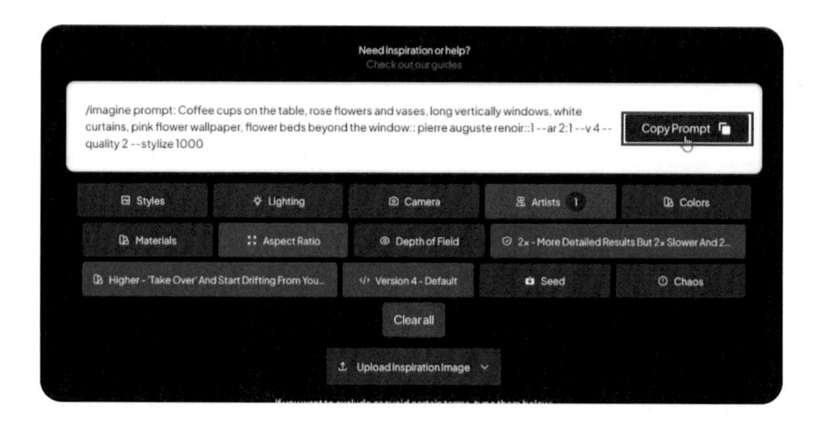

7. 미드저니에 접속한 다음 프롬프트 창을 클릭하고 Ctrl+V 를 눌러 앞에서 작성한 프롬프트를 붙여 넣습니다. 미드저니 버전이 4(--4)로 되어 있으면 최신 버전으로 수정하도록 합니다.

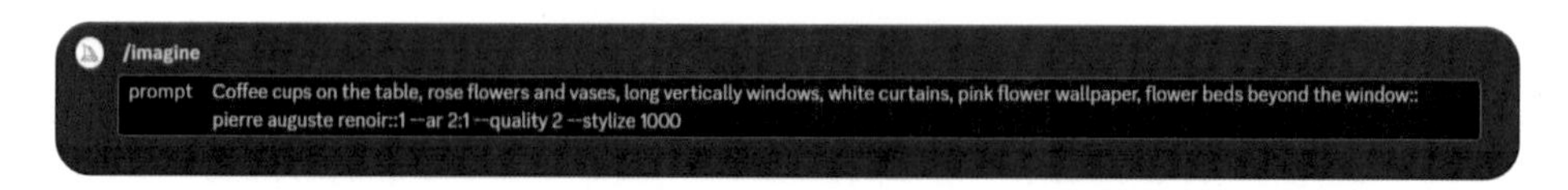

8. 르누아르 화풍이 잘 담긴 이미지가 만들어졌습니다.

52

미드저니 프롬프트 특징 살펴보기

앞에서 예를 들어서 프롬프트의 성질에 대해서 알아보았습니다. 여기서는 보다 좋은 결과를 얻기 위해 프롬프트의 특징에 대해서 심층적으로 알아보겠습니다.

● 미드저니는 서술형보다는 단어를 우선으로 한다!

미드저니는 서술형으로 입력해도 이해하고 반응하지만 서술형보다는 명사나 형용사 같은 단어 형태를 더 우선으로 분석합니다. 잘 정리된 긴 서술형보다는 핵심 단어가 훨씬 효과적으로 이미지에 반영됩니다. 그러므로 복잡하고 서술적인 표현보다는 단어 위주로 쉼표로 끊어서 짧은 표현으로 넣어주는 것이 좋습니다.

왼쪽 이미지는 cute bear character, 3d, white background, anime style, high detail, 8k, photo realistic --q 2 입력했음. 흰색 배경이라고 입력했는데 흰색이 캐릭터에도 적용되었음. 오른쪽에는 cute brown bear character, 3d, white background… 라고 입력해서 갈색 곰이라고 지정했음.

● 현실적인 이미지를 추구한다!

미드저니는 특별한 지시가 없다면 현실적인 이미지를 우선으로 생성합니다. 충분히 단어만 입력해도 멋진 이미지를 만들어 주죠. 만일 '자전거를 운전하는 고양이'처럼 비현실적인 프롬프트를 입력하면 어떨까요? 미드저니는 최대한 현실적으로 표현하거나 카툰과 같은 이미지로 만들어 줍니다. --test --creative 파라미터를 적용하면 개성 있는 이미지를 표현할 수도 있습니다. 좀 더 현실적으로 표현하고 싶다면 '인간을 닮은 고양이'라는 프롬프트를 추가하고 사실적인 표현 관련 프롬프트를 추가하면 더 사실적인 이미지를 만들 수 있습니다.

왼쪽 이미지는 **/imagine cat driving a cycle** 을 입력했고 오른쪽 이미지는 **/imagine human-like cat, driving a cycle, smoking, high detail, 8k, photo realistic** 입력함.

● 많은 내용을 적는 것보다 키포인트 위주로 입력하자!

미드저니는 프롬프트에 사용한 단어에 반응합니다. 만일 단어를 불필요하게 많이 사용하면 단어끼리 불협화음이 발생하여 원치 않은 결과를 만들 확률이 높아집니다. 미드저니의 버전이 올라갈수록 프롬프트의 문장 분석력이 높아지고 있지만 서로 반대되는 의미를 가지고 있는 단어 조합이나 의미없는 단어들의 나열 등을 입력하면 좋지 않은 결과를 만들어 냅니다. 그러므로 꼭 필요한 단어만 사용하여 프롬프트를 작성하도록 합니다.

● 디테일하게 설명해라!

항공 점퍼를 착용한 군인을 표현하고 싶다면 항공 점퍼를 입은 군인이라고 단순하게 넣기 보다 '항공 점퍼, 선글라스, 그을린 피부, 반짝이는 재킷, 검정색 바지, 광택 나는 구두'처럼 표현해 주면 더 디테일한 이미지를 만들어 줍니다. 단순히 --q2라고 파라미터를 넣어도 미드저니가 알아서 섬세하게 표현해 주지만 이러한 표현은 랜덤한 표현이므로 사용자가 특별히 원하는 이미지가 있다면 하나하나 자세히 표현해 주는 것이 좋습니다. 디테일하게 설명해야 그만큼 원하는 결과를 얻기 쉬워집니다.

/imagine full body shot, Soldier, smooth air jacket, reflecting sunglasses, sparkling boots, F-15 fighter in the background

● 좋은 결과가 나올 때까지 반복 실행하자!

미드저니는 랜덤하게 이미지를 생산하는 사실을 명심해야 합니다. 같은 프롬프트라도 실행할 때마다 다른 결과가 나옵니다. 어떠한 경우에는 디테일하게 프롬프트를 입력했음에도 불구하고 원하는 이미지가 나오지 않을 수도 있습니다. 이러한 경우에는 원하는 결과가 나올 때까지 반복 실행하는 일도 필요합니다. 미드저니는 랜덤하게 이미지를 만들어 주기 때문에 항상 좋은 결과를 만들어주지 않으므로 좋은 결과를 나오지 않는다면 재실행해서 좋은 결과를 얻도록 합니다.

● 쉬운 길은 없다!

포토샵이나 일러스트레이터로 공을 들여 디자인하듯 미드저니는 텍스트 입력에 공을 들여 원하는 이미지를 생산해야 합니다. 텍스트를 단순하게 입력하면 원하는 이미지가 바로 나오지는 않는다는 점을 알아두세요. 프롬프트를 입력하고, 결과를 확인하고, 다시 수정하고, 결과를 확인하는 과정을 수시로 거쳐야만 좋은 결과를 얻을 수 있습니다. 운이 좋아 완벽하지 않은 프롬프트로만으로도 한 번에 좋은 결과를 얻을 수도 있지만 반대로 완벽한 프롬프트를 만들어도 기대보다 좋은 결과를 얻지 못하는 경우도 생깁니다. 미드저니는 랜덤 생산 기술이기 때문입니다. 중요한 것은 이러한 운에 기대기보다 프롬프트의 특성을 잘 이해하고 최대한 원하는 이미지를 뽑아내기 위한 노력이 필요합니다.

● 동작 표현은 어렵다!

초기 AI 이미지의 가장 큰 오류는 손과 발의 표현의 부족함이었습니다. 손과 발의 모습이 이상하거나 손가락의 개수가 6개 또는 4개로 표현되기도 하며 손과 발이 여러 개 붙은 기이한 형태로 나타나기도 합니다. 한때 이러한 문제는 AI 이미지가 해결할 수 없는 한계라고 단정짓기도 했지만 현재는 이러한 오류가 어느 정도 줄어 들었습니다. 기술이 업데이트되면서 손과 발의 표현 오류는 줄어 들었지만 아직도 어색한 동작 표현은 아쉬움이 남습니다. 예를 들어 로우 런지 자세를 지시하면 어느 하나 자연스러운 동작을 구현한 이미지를 만들어내지 못했습니다. 그러므로 디테일한 동작 표현은 가급적 피하는 것이 좋습니다.

/imagine full body shot, beautiful woman, Low lunge pose, high detail, 8k, photo realistic --q 2 --ar 3:2

● 텍스트 표현은 포기해라!

동작 표현과 함께 AI 이미지의 가장 큰 단점은 텍스트 표현입니다. 로고나 포스터 작업을 할 때 관련 텍스트가 들어가면 좋지만 텍스트의 표현력이 좋지 않습니다. 어떠한 경우에는 결과물에 텍스트가 입력되지만 어느 나라 언어인지 알 수 없는 외계어가 쓰여있기 일쑤입니다. 그러므로 프롬프트 입력할 때 --no text를 써서 아예 텍스트가 표현되지 않도록 하고 그럼에도 텍스트가 표현됐다면 그래픽 편집 프로그램으로 텍스트를 지워야할 것입니다.

CHOARAHCHANA

MRFER BARRDD
MIRRET SE-FARIRB

MIRER★FORS.
EFRER &. MARBES

53

도로를 달리는 배트맨 프롬프트 작성 과정 살펴보기

미드저니로 프롬프트를 작성하는 방법은 아주 간단합니다. 배트맨을 그리고 싶다면 간단하게 '배트맨'이라고 입력하면 됩니다. 만일 뛰어가는 배트맨을 그리고 싶다면 '달리는 배트맨'이라고 적으면 되겠지요. 입력 내용이 간단할수록 미드저니는 빠르게 처리하지만 그만큼 결과물이 다양하게 나올 확률도 높아집니다. 달리는 배트맨이라고 입력하면 도심 속을 달리거나 골목 사이를 달릴 수도 있고, 배트맨이 정면을 향하고 있거나 옆면을 보고 있을 수 있습니다. 그래서 머릿속에서 생각하는 이미지와 비슷하게 만들려면 좀 더 구체적으로 표현해주어야 합니다.

'자동차가 즐비하게 있는 도로 사이를 왼쪽 방향으로 달리는 배트맨'을 그리려고 합니다. 아래의 문장 그대로 입력해 보겠습니다.

Batman running left-hand between roads lined with cars.

/imagine Batman running left-hand between roads lined with cars

이렇게 입력해서 이미지를 생성하면 멋진 배트맨 사진이 나옵니다. 충분히 근사한 사진이지만 제가 원하는 대로 나오지는 않았습니다. 배트맨이 좌측이 아니라 정면 또는 뒷모습으로 표현된 것이 문제입니다. 마치 줄지어 배치된 자동차 방향에 맞춰 배트맨을 위치시킨 듯한 모습입니다. 이처럼 미드저니는 여러 개의 상황을 제시해도 모든 것을 정확하게 구현하지는 않습니다. 특히 이미지의 구도를 잡는 것에 취약합니다.

최대한 오류없이 원하는 이미지를 만들려면 내용을 입력할 때 서술형보다 불필요한 수식어를 빼고 아주 간결한 문장으로 짧게 끊어 입력하는 것이 좋습니다. 미드저니는 서술형보다는 명사와 형용사의 단어를 우선으로 받아들이기 때문입니다.

앞에서 말한 상황을 **Batman, runs on the road, side view, many cars around**와 같이 다시 작성해서 이미지를 생성해 보니

/imagine Batman, runs on the road, side view, many cars around

갑자기 배트맨과 배트모빌이 함께 나옵니다. 아마 batman과 car 단어가 영향을 끼쳤나 봅니다.

그럼 다시 no 프롬프트를 사용해서 **Batman, runs on the road, side view, many cars around --no batmobile**이라고 입력해 보았습니다. 그랬더니 전반적으로 원하는 모습이 나왔지만 정작 배트맨 모습이 온데간데 없어졌습니다. 아마 --no batmobile 명령 때문에 배트맨을 삭제했나 봅니다. 결국 미드저니는 배트맨과 배트모빌을 함께 생각하는 것 같습니다.

그래서 이번에는 car 단어를 모두 빼서 Batman, runs on the road, side view라고 입력하고 퀄리티를 높이고 이미지 비율도 3:2로 설정해서 **Batman runs on the road, side view, high detail, 8K, photograph --ar 3:2**라고 입력했더니 이제야 구상했던 이미지와 비슷하게 나왔습니다.

/imagine Batman, runs on the road, side view, many cars around --no batmobile

/imagine Batman runs on the road, side view, high detail, 8K, photograph --ar 3:2

결과적으로 미드저니는 서술적인 내용을 이해하기보다 단어 위주로 판단한다는 것을 알 수 있었습니다. 위 예제처럼 배트맨과 자동차라는 단어를 인식하여 배트모빌을 그릴 수 있다는 점을 명심하고 꼭 필요한 단어만 골라 잘 어우러지게 배열하도록 합니다.

또한 복잡한 이미지를 만들 때는 그만큼 많은 이미지 생성 테스트를 거쳐야 하는 점을 명심합니다. 미드저니는 랜덤하게 이미지를 뽑아줘서 같은 프롬프트라도 실행할 때마다 다른 결과가 나오기 때문에 한 번 나온 결과만으로 판단하지 말고 여러 번 반복 실행해야 한다는 점도 기억하세요. 전문가가 만든 이미지 프롬프트를 보면 사용된 단어들을 무척 많은데 이를 보면 얼마나 디테일하게 표현하려고 노력했는지 알 수 있습니다. 미드저니는 분명 손쉽게 이미지를 만들

어 주는 도구인 건 분명 하지만 훌륭한 이미지를 만들려면 그림을 그리는 것만큼 노력도 많이 필요합니다.

54

자전거 타는 고양이 프롬프트 작성 과정 살펴보기

이번에는 미드저니의 프롬프트를 작성해서 사이클을 운전하는 고양이 그림을 만들어 보겠습니다. 먼저 cat과 bicycle 단어가 필요합니다. 그럼 이 단어만 사용해서 **/imagine cat, bicycle**이라고 프롬프트를 작성해 보겠습니다. 그러면 다음과 같이 고양이와 사이클이 함께 있는 모습을 보여줍니다. 어떠한 경우에는 만화로 표현해주기도 하지만 대부분 고양이와 사이클이 함께 있는 모습을 실사로 잘 표현해줍니다.

이번에는 독특한 연출을 얻기 위해 **--test --creative** 파라미터를

/imagine cat, bicycle

/imagine cat, bicycle, --test --creative
/imagine cat, bicycle, --testp --creative

사용해 보겠습니다. 파라미터를 넣었더니 개성 있는 이미지가 만들어졌지만 원하는 결과는 아니네요.

그래서 고양이가 자전거를 운전하는 서술형 문장으로 **cat driving a cycle**라고 프롬프트를 작성해서 실행해 보았습니다. 실사 이미지로는 최대의 결과를 보여 줬네요. 진짜 자전거를 운전하는 그림도 만들어 줬고요.

그러나 실사 이미지로는 자연스러운 모습이 나오지 않는군요. 그래서 의인화하여 인간을 닮은 고양이라고 적고 사실감을 더하기 위한 프롬프트를 추가하여 **human-like cat, driving a cycle, high detail, 8k, photo realistic**라고 입력했습니다. 그랬더니 무섭긴 하지만 그럴싸한 결과를 만들어 줬습니다.

/imagine cat driving a cycle

/imagine human-like cat, driving a cycle, high detail, 8k, photo realistic

/imagine full body shot, human-like cat, driving a bicycle, with cute expression, full of brown fur, in red boots, by alleys, high detail, 8k, photo realistic

/imagine full body shot, a cat in red boots, with smile, cute, driving a bicycle, woolen hat, by alleys, high detail, 3d rendering, pixar --q 2 --s 750

이번에는 디테일을 추가해 보겠습니다. 골목길 배경에 전신 샷으로 귀엽고 풍성한 갈색털에 광택나는 장화를 신은 고양이 모습을 추가하여 full body shot, human-like cat, driving a bicycle, with cute expression, full of brown fur, in red boots, by alleys, high detail, 8k, photo realistic라고 프롬프트를 작성해서 실행해 보겠습니다. 장화가 제대로 표현되지 않은 것 빼고는 잘 나왔습니다. 장화에 빨간색을 지정했는데 고양이의 옷 또는 자전거 색에 반영되었네요. 귀여운 느낌도 부족합니다. 아무래도 애니메이션 느낌의 효과를 줘야겠습니다. 3d rendering, pixar를 추가하여 픽사 애니메이션 느낌을 주고 퀄리티를 올리고 스타일을 추가하는 --q 2 --s 750 파라미터도 추가해서 full body shot, a cat in red boots, with smile, cute, driving a bicycle, woolen hat, by alleys, high detail, 3d rendering, pixar --q 2 --s 750라고 프롬프트를 작성해 보았습니다. 귀여운 느낌이 훨씬 살아났네요. 이제야 원했던 이미지가 완성되었습니다.

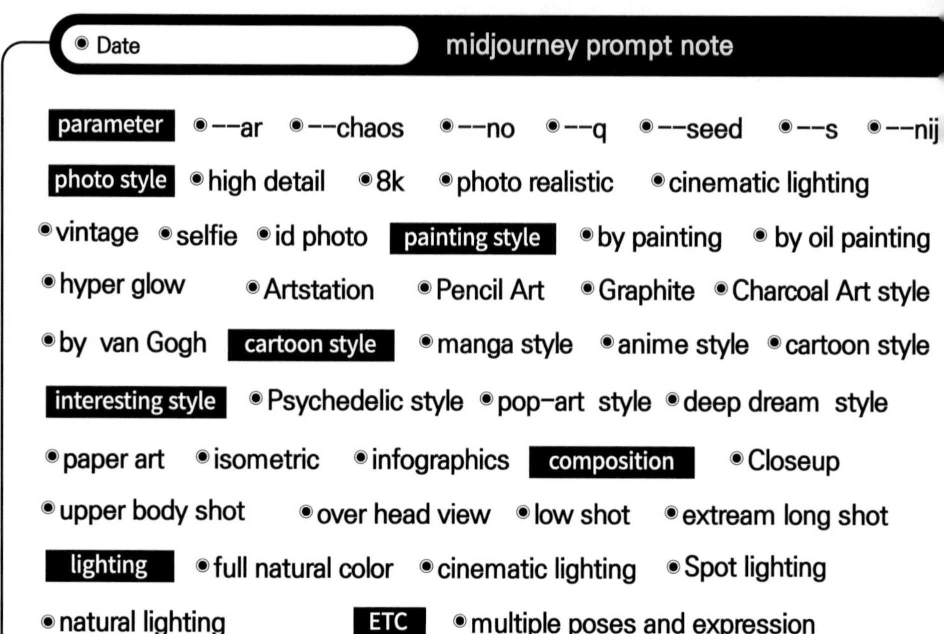

Date

midjourney prompt note

parameter • --ar • --chaos • --no • --q • --seed • --s • --nij

photo style • high detail • 8k • photo realistic • cinematic lighting • vintage • selfie • id photo

painting style • by painting • by oil painting • hyper glow • Artstation • Pencil Art • Graphite • Charcoal Art style • by van Gogh

cartoon style • manga style • anime style • cartoon style

interesting style • Psychedelic style • pop-art style • deep dream style • paper art • isometric • infographics

composition • Closeup • upper body shot • over head view • low shot • extream long shot

lighting • full natural color • cinematic lighting • Spot lighting • natural lighting

ETC • multiple poses and expression • minimal detail • no outline • Thick lines • --style raw • reflection

❷ 사용할 프롬프트를 골라서 체크하세요.

imagine ❶ 만들고 싶은 이미지를 스케치하거나 특징을 기록하세요.

prompt ❸ 체크한 프롬프트를 참고해서 프롬프트를 정리해서 적어 보세요.

No.

- --version
- --test
- --creative
- --testp
- --stop
- --tile
- auroracore
- by Canon EOS Lens 35mm
- monochromatic
- polaroid
- by watercolor painting
- by illustation
- by CorelDRAW
- Intricate details
- monotone
- Line Art style

style of painting

- by Alphonse Mucha
- caricature style
- marvel comics style
- dc comics style
- 8-bit style
- low poly style
- molecular style
- action figure
- Arabesque
- Full length portrait
- three quarter view
- side shot
- back shot
- extreme close up shot
- group shot
- high level
- angle bird's view
- backlighting
- Silhouette lighting
- Neon colored side lighting
- image to match the cover
- white background
- minimal detail
- logo
- blend of comic book art and lineart
- coloring page for kids

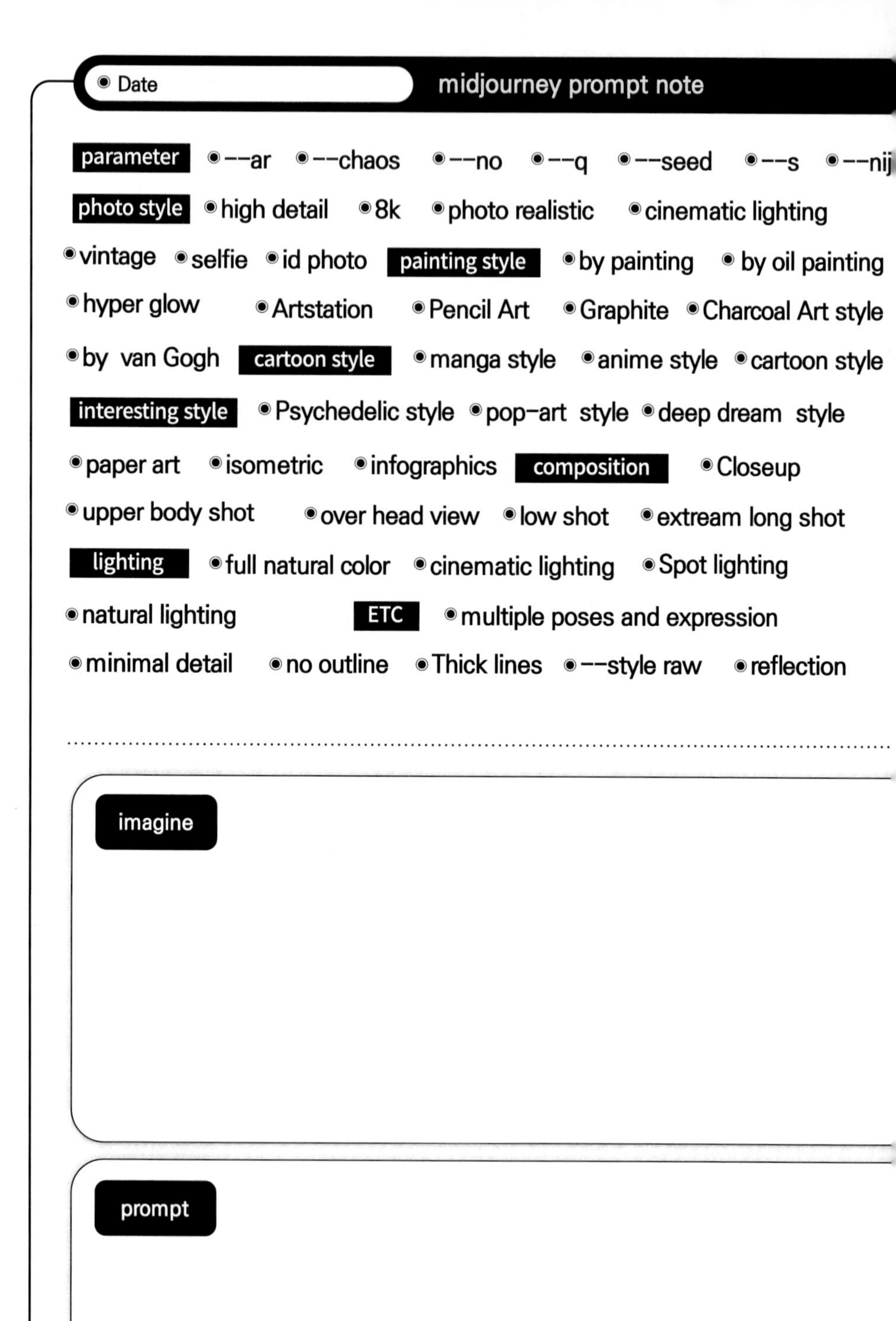
Date
midjourney prompt note
parameter
--ar
--chaos
--no
--q
--seed
--s
--nij
photo style
high detail
8k
photo realistic
cinematic lighting
vintage
selfie
id photo
painting style
by painting
by oil painting
hyper glow
Artstation
Pencil Art
Graphite
Charcoal Art style
by van Gogh
cartoon style
manga style
anime style
cartoon style
interesting style
Psychedelic style
pop-art style
deep dream style
paper art
isometric
infographics
composition
Closeup
upper body shot
over head view
low shot
extream long shot
lighting
full natural color
cinematic lighting
Spot lighting
natural lighting
ETC
multiple poses and expression
minimal detail
no outline
Thick lines
--style raw
reflection
imagine
prompt

No.

- --version
- --test
- --creative
- --testp
- --stop
- --tile
- auroracore
- by Canon EOS Lens 35mm
- monochromatic
- polaroid
- by watercolor painting
- by illustation
- by CorelDRAW
- Intricate details
- monotone
- Line Art style

style of painting

- by Alphonse Mucha
- caricature style
- marvel comics style
- dc comics style
- 8-bit style
- low poly style
- molecular style
- action figure
- Arabesque
- Full length portrait
- three quarter view
- side shot
- back shot
- extreme close up shot
- group shot
- high level
- angle bird's view
- backlighting
- Silhouette lighting
- Neon colored side lighting
- image to match the cover
- white background
- minimal detail
- logo
- blend of comic book art and lineart
- coloring page for kids

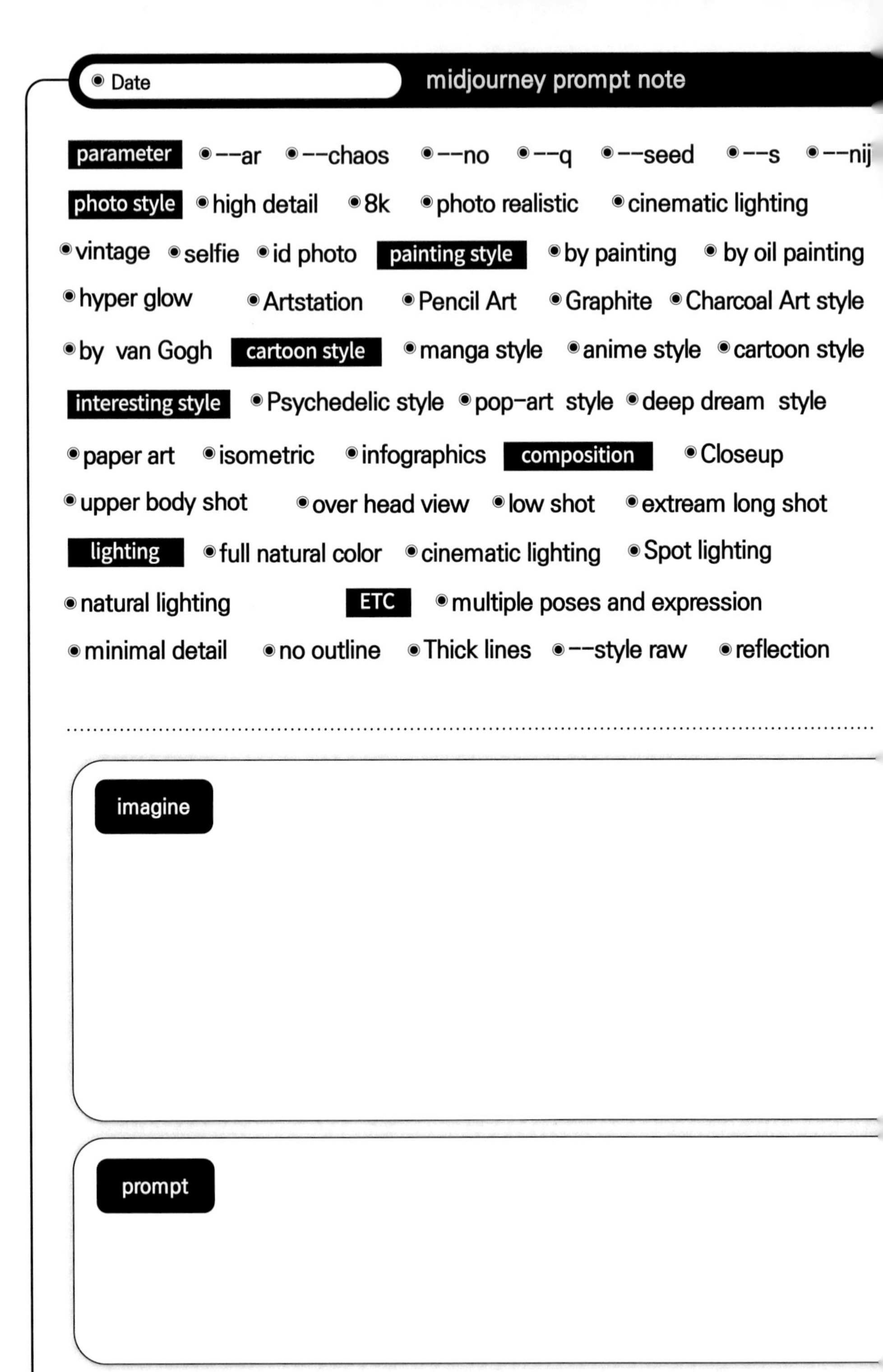
Date
midjourney prompt note
parameter
--ar
--chaos
--no
--q
--seed
--s
--nij
photo style
high detail
8k
photo realistic
cinematic lighting
vintage
selfie
id photo
painting style
by painting
by oil painting
hyper glow
Artstation
Pencil Art
Graphite
Charcoal Art style
by van Gogh
cartoon style
manga style
anime style
cartoon style
interesting style
Psychedelic style
pop-art style
deep dream style
paper art
isometric
infographics
composition
Closeup
upper body shot
over head view
low shot
extream long shot
lighting
full natural color
cinematic lighting
Spot lighting
natural lighting
ETC
multiple poses and expression
minimal detail
no outline
Thick lines
--style raw
reflection
imagine
prompt

No.

- --version
- --test
- --creative
- --testp
- --stop
- --tile
- auroracore
- by Canon EOS Lens 35mm
- monochromatic
- polaroid
- by watercolor painting
- by illustation
- by CorelDRAW
- Intricate details
- monotone
- Line Art style

style of painting

- by Alphonse Mucha
- caricature style
- marvel comics style
- dc comics style
- 8-bit style
- low poly style
- molecular style
- action figure
- Arabesque
- Full length portrait
- three quarter view
- side shot
- back shot
- extreme close up shot
- group shot
- high level
- angle bird's view
- backlighting
- Silhouette lighting
- Neon colored side lighting
- image to match the cover
- white background
- minimal detail
- logo
- blend of comic book art and lineart
- coloring page for kids

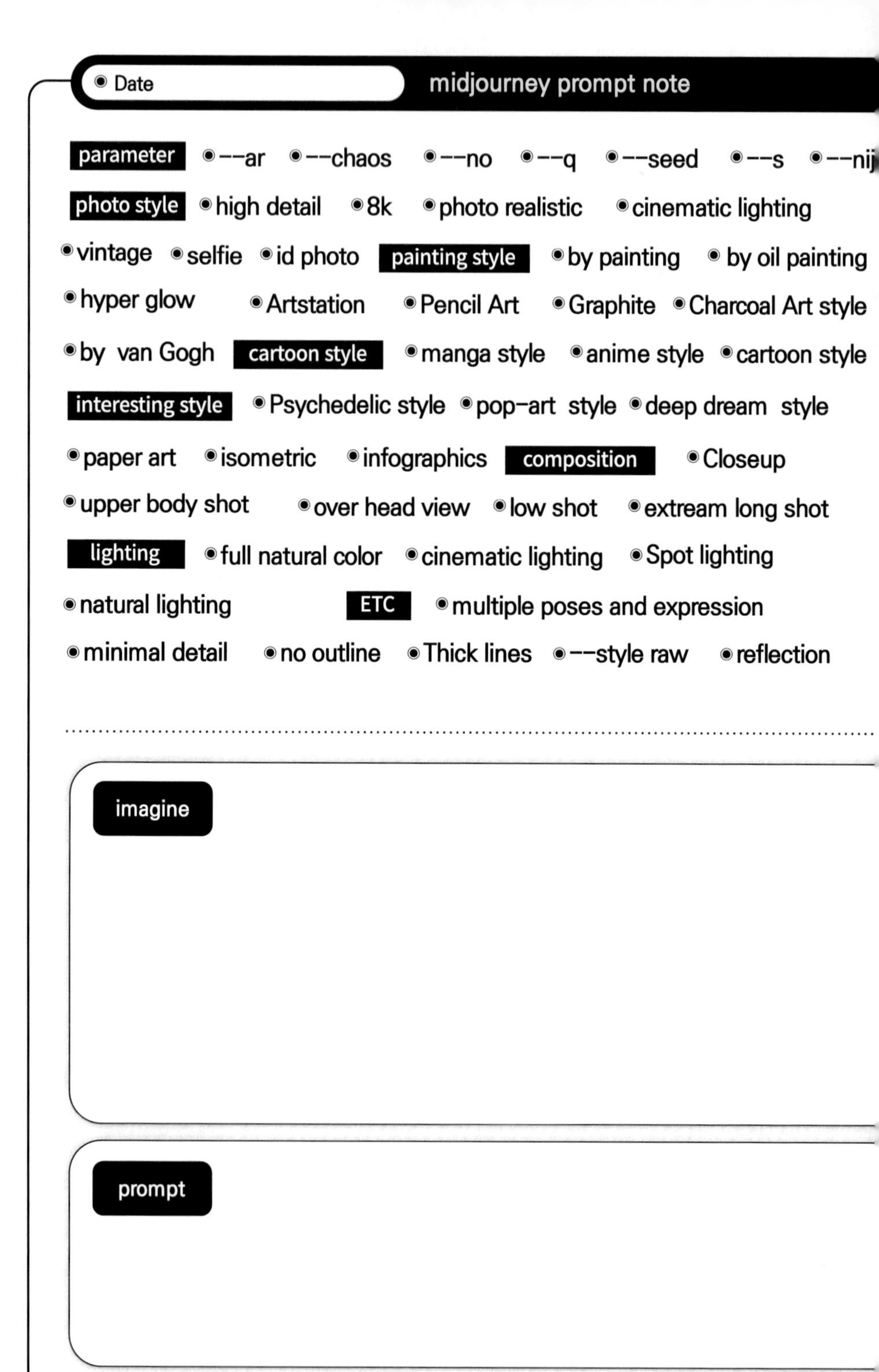

Date

midjourney prompt note

parameter • --ar • --chaos • --no • --q • --seed • --s • --nij

photo style • high detail • 8k • photo realistic • cinematic lighting • vintage • selfie • id photo

painting style • by painting • by oil painting • hyper glow • Artstation • Pencil Art • Graphite • Charcoal Art style • by van Gogh

cartoon style • manga style • anime style • cartoon style

interesting style • Psychedelic style • pop-art style • deep dream style • paper art • isometric • infographics

composition • Closeup • upper body shot • over head view • low shot • extream long shot

lighting • full natural color • cinematic lighting • Spot lighting • natural lighting

ETC • multiple poses and expression • minimal detail • no outline • Thick lines • --style raw • reflection

imagine

prompt

● No.

● --version ● --test ● --creative ● --testp ● --stop ● --tile

● auroracore ● by Canon EOS Lens 35mm ● monochromatic ● polaroid

● by watercolor painting ● by illustation ● by CorelDRAW ● Intricate details

● monotone ● Line Art style **style of painting** ● by Alphonse Mucha

● caricature style ● marvel comics style ● dc comics style

● 8-bit style ● low poly style ● molecular style ● action figure ● Arabesque

● Full length portrait ● three quarter view ● side shot ● back shot

● extreme close up shot ● group shot ● high level ● angle bird's view

● backlighting ● Silhouette lighting ● Neon colored side lighting

● image to match the cover ● white background ● minimal detail

● logo ● blend of comic book art and lineart ● coloring page for kids

미드저니 세상을 즐기고 계시나요?